世界遺産はいま、
世界に約1,200ある

東洋と西洋の交差点だったダマスカス(シリア)ウマイヤ朝の大モスク
(229ページ) (© UNESCO)

としての世界遺産

焼き煉瓦が整然と積み上げられているモヘンジョダロ遺跡（パキスタン）
（3ページ）
（© UNESCO）

フェニキア人によって築かれたカルタゴ
（4ページ）（© UNESCO）

未来への贈り物

ユダヤ教、キリスト教、イスラム教の聖地であるエルサレム（イスラエル）
（98ページ）（© UNESCO）

ソンドン洞窟を調査する著者

世界最大の洞窟であるソンドン洞窟（ベトナム）
（25ページ）

観光産業にも重要な存在

素晴らしい建物が多く残っているザンジバルの石の街（タンザニア）
（240ページ）（© UNESCO）

今も地元の暮らしに必須の存在の山岳鉄道（インド）（55ページ）

朝日新書
Asahi Shinsho 965

日本人が知らない世界遺産

林　菜央

朝日新聞出版

【編集部注】

●本書の中に述べられている意見や解釈は著者に属するものであり、ユネスコの公式見解をあらわすものではありません。

●日本語の公定翻訳などがない場合、ユネスコその他のサイトの日本語訳は著者によるものです。

●本文の数値・情報は2024年6月末日現在のものです。

まえがき

「未来への贈り物」としての世界遺産

インダス河の河岸近くに、整然と積み上げられた焼き煉瓦《れんが》で建造された大浴場、穀物庫、都市整備の跡が見渡す限りに広がる、紀元前2500年に遡《さかのぼ》るパキスタン・モヘンジョダロ遺跡。

紀元前10世紀にソロモン王が最初のエルサレム神殿を建造したと言われ、現在もアル＝アクサ・モスク、岩のドームを抱いた三大宗教の聖地として、膨大な数の人々の信仰を向けられているイスラエル・エルサレムの神殿の丘（ハラム・アル・シャリフ）。

「石の真珠」が地面に広がる、地表とは異質な乾いた無機質な空間と、ボートで渡してもらう長い地底湖、地上へ帰る道のりに切り立つ岩壁……発見された中では世界最大の洞窟《どうくつ》であるベトナム・ソンドン洞窟。

一時は東南アジア最大の版図《はんと》を誇った王たちの華やかな後宮の暮らしぶりを想像させる、カンボジア・アンコールの天女たちの苔《こけ》むした彫刻。

フェニキア人が地中海を往来する船がひっきりなしに出入りしていたであろうチュニジア・カルタゴの古代港。

これらの遺跡や自然公園はすべて、1972年に国際社会が採択した「世界遺産条約」の規定により、世界遺産として登録された場所です。ユネスコ・世界遺産条約の専門官として、わたしが任務で査察に訪れた場所のいくつかでもあります。

2002年に国際公務員としてユネスコに着任した当時から、私は現代世界と未来にとっての世界遺産の価値とは物質的、美的なものには決してとどまらない、それを超えたところにあると感じてきました。

世界遺産には文化遺産・自然遺産・複合遺産という大きな区分があります。

自然遺産であれば、宇宙のこの一点に、数々の偶然が積み重なって創り上げられた地球環境のなかには圧倒されるような景観があり、森、海、河川、生態系の機能の多様さは、国境を越えて地球人類の存続を支えてくれる豊穣《ほうじょう》そのものです。

文化遺産であれば、建造物としての美しさや技術的達成の度合い、装飾の意匠のすばらしさだけでなく、人類の歴史の中で繰り返し起こった異なる文化や人間同士の交流、そこから生まれた科学技術や思考の進歩や、文化の交流を証言する存在。

そのような視点を持てば、自国や他国が達成してきた大きな進歩に敬意を払うと同時に、今地球上にある国や民族という、場合によっては二極化や対立を生む要素を越えて、つながりとかかわりを、価値あるものとして信じることができると考えたからです。


私自身が、紀元前後の古代ローマの東方属州（現在のレバノン、シリア、エジプト、北アフリカ）における、ローマの領土拡大に伴って起こったさまざまな宗教の習合（シンクレティズム）の現象と芸術表現の発達を研究の主題にしていました。

そのため、最初にかかわったカンボジア・アンコール遺跡やアフガニスタン・バーミヤンの大仏をはじめとする考古学遺産を、そのような視点で自然に見ていたということもあるでしょう。

このような考えが、歴史上フランスとの関係が深いメコン三国（カンボジア、ベトナム、ラオス）や、エジプトとシリアなどで、その後、世界遺産を通じた文化間の対話に役立つようなプロジェクトを、ミュージアムを媒体に展開することにもつながりました。

世界と個人をつなぐ物語としての世界遺産

2024年7月初旬時点で世界遺産に登録されている1199件の文化遺産と自然遺産は、人類にとって、現在の国境を越えて共に守っていくべき「顕著な普遍的価値」(Outstanding Universal Value）を持つとされています。過去の証言者であると同時に、我々の現在と未来にとっての貴重なインスピレーションの源泉であるとも定義されています。

世界のさまざまな場所と時代に懸命に生きた有名無名の偉人たちが、お互いの歴史や感性を理解するための素晴らしい財産として、私たちに遺《のこ》してくれた文化遺産。

人間が到底力及ばないような、地球そのものを機能させ人間の生命を支える海、森、生態系を育《はぐく》み続けてくれた自然遺産。

そして今日的に見れば世界遺産は、グローバルな観光産業の発展にも重要な一翼を担っています。同時に、遺産の保全や活用に際して十分な対策が講じられていない国では、観光開発によるさまざまな影響が懸念《けねん》される例も多々あります。

世界遺産は多くの場合、遺跡であったり、広大な自然公園だったりします。訪れる人は、世界遺産に関して何をどのくらい知っているのでしょうか。

これらの遺産がどうして人類全般にとって価値あるものと認められているのか？

古い、大きい、美しい、すごい、というだけでなく、この遺産はどんな人たちや自然の働きによって造られ、今日どんな人たちの生活に影響を与えているのか？

そういった、世界遺産に関する「より個人的でありながら、世界に再びつながるための物語」を語ることの重要性が、私が世界遺産条約専門官として、追求してきたテーマです。

パリ・国際連合教育科学文化機関（UNESCO　ユネスコ）本部の中にある「世界遺産センター」と呼ばれる世界遺産条約局は、わたしも含めた国際連合の職員である国際公務員二十数名のほかに、各国省庁からの出向者、またプロジェクトベースで雇用されているコンサルタントなど、百数名で構成されています。

私は国際連合の専門機関であるユネスコの専門官として20年以上、多くの世界遺産とミュージアムにかかわってきました。上智大学で歴史学を学んだ後に、東京大学大学院、フランスのソルボンヌ大学、パリ高等師範学校で古代ローマ史などを専攻し、２００２年にユネスコ文化局遺産部に就職しました。キャリアの途中では、文化と開発との関係をより大きな視点で考えるため、ロンドン大学アフリカ東方学院で持続的開発論も学びました。このような立場で長年働き続ける数少ない日本人の一人として、採択50周年を迎えた世界遺産とユネスコの知られざる素顔を、本書でお伝えしたいと思います。

なぜ日本人を惹きつけるのか?

「世界遺産検定」の存在やテレビの特集番組、このテーマに特化された雑誌などの存在——世界遺産に対する日本人の関心は、ほかの国に比べて非常に高いと言えます。世界遺産の登録に関するニュースは、多くのメディアで報道されます。

世界遺産が、これほどまでに日本人の心を惹きつけるのはなぜでしょうか?景色が美しいから。建物が素晴らしいから。珍しいから。世界遺産のブランドが付いているから。だけでは決してないと思います。

日本人は古代から、外からくるものを柔軟に受け入れ、生活や技術に取り込んで、より優れたものとして磨きました。また、万物の中に神々を感じ、和を重んじ、自然を抑圧することなく人間の技の精緻《せいち》を極めてきたと私は考えています。

そのような在り方が、世界遺産を尊ぶという理念への共感を通じて、伝統を重んじつつ、新しいものを受け入れる世界各国の方法について知りたい、という好奇心を育んでいるのではないかと思います。

この本を書いている2024年、世界は未曽有《みぞう》のコロナ禍からほぼ回復している途上です。2020年からの数年間は、我々がかつて想像もしなかった疫病《えきびょう》の流行で、世界遺産を旅することは、いつでもできることではなくなりました。平時でも、世界に1000件以上ある世界遺産を数多く見て回ることは、簡単にできることではないかもしれません。

また、理念としては美しい世界遺産も、その国際的な枠組みを担う世界遺産委員会の政治化の傾向や、世界遺産保護と開発との齟齬《そご》など、簡単には解決できない矛盾や問題を抱えているのは、その事務局の専門官として私自身も強く感じていることです。光と影は、表裏一体です。

紛争や戦争、気候変動、自然破壊など地球レベルの多くの問題が起きて、世界遺産の中には危機に瀕しているものも少なくありません。

そんな事態に、私たちはどう向き合うべきなのか。どう生きるべきなのか。未来に何を遺せるのか。繋《つな》いでいけるのか。

その答えを探す旅に、本書があなたを誘《いざな》うことができたら何より嬉《うれ》しく思います。

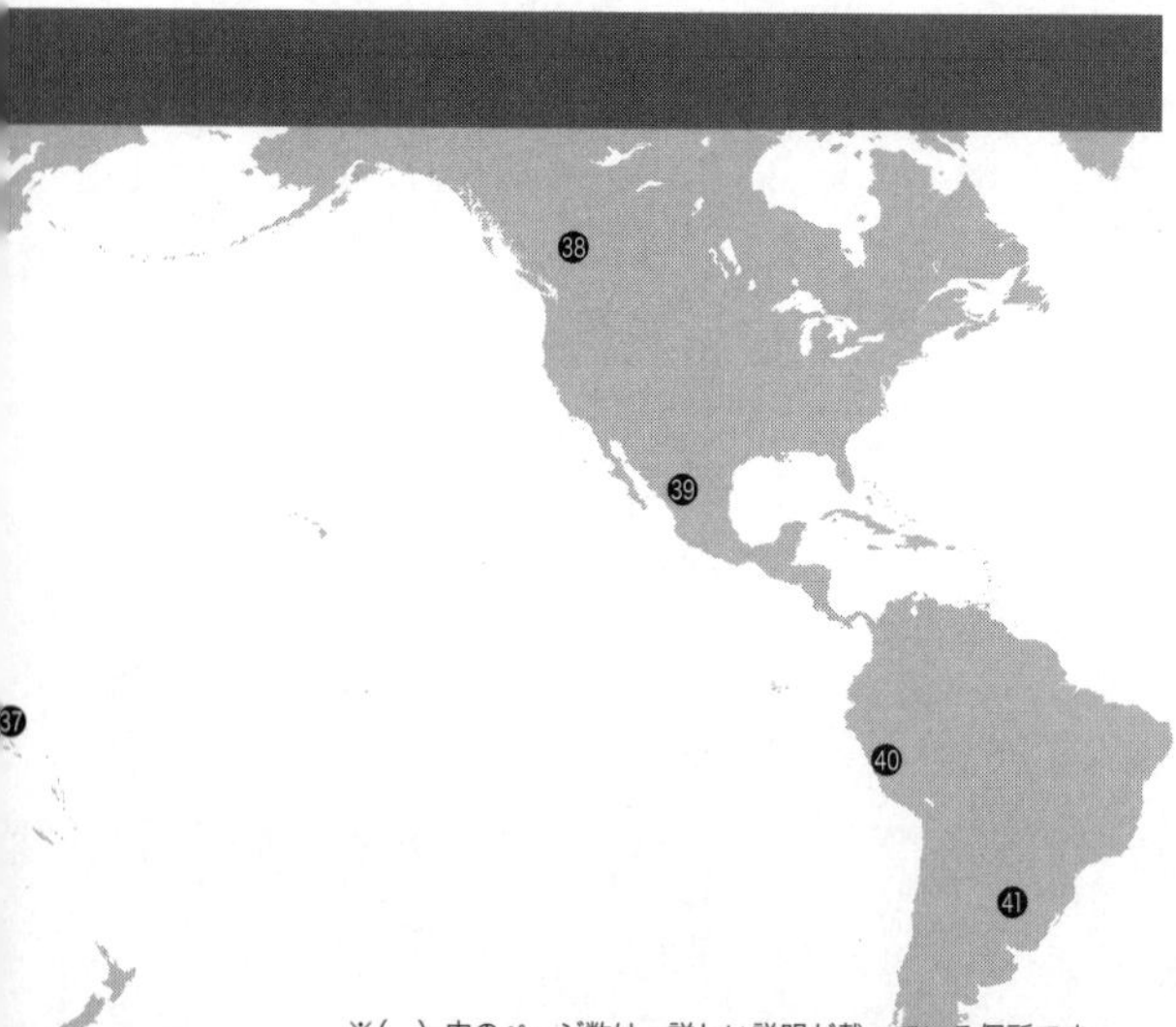

※（　）内のページ数は、詳しい説明が載っている個所です。
※本書に出てくる世界遺産のすべてではありません。

㉑バーミヤン渓谷の文化的景観と古代遺跡群（p73）
㉒モヘンジョダロの考古学的遺跡（p3）
㉓サッタのマクリ歴史建造物群（p203）
㉔インドの山岳鉄道群（p55）
㉕スンダルバン（p59）
㉖ランギリ・ダンブッラ石窟寺院（p127）
㉗シルクロード：長安天山回廊のルートネットワーク（p117）
㉘天壇：北京の皇帝の祭壇（p236）
㉙ルアンパバーン（p159）
㉚ファンニャ＝ケバン国立公園（p22）
㉛チャンアンの景観関連遺産（p46）
㉜ハノイの昇竜帝城遺跡（p86）
㉝プレアヴィヒア寺院（p83）
㉞アンコール（p148）
㉟マラッカ海峡の歴史的都市、メラカとジョージタウン（p210）
㊱バリ州の文化的景観：トリ・ヒタ・カラナ哲学の現れとしてのスバック・システム（p176）
㊲東レンネル（p207）
㊳ロッキーマウンテンパーク（p187）
㊴カンペチェ州カラクムルの古代マヤ都市と熱帯保護林（P45）
㊵マチュピチュ遺跡（p101）
㊶イグアス国立公園（p116）

本書に出てくる主な世界遺産

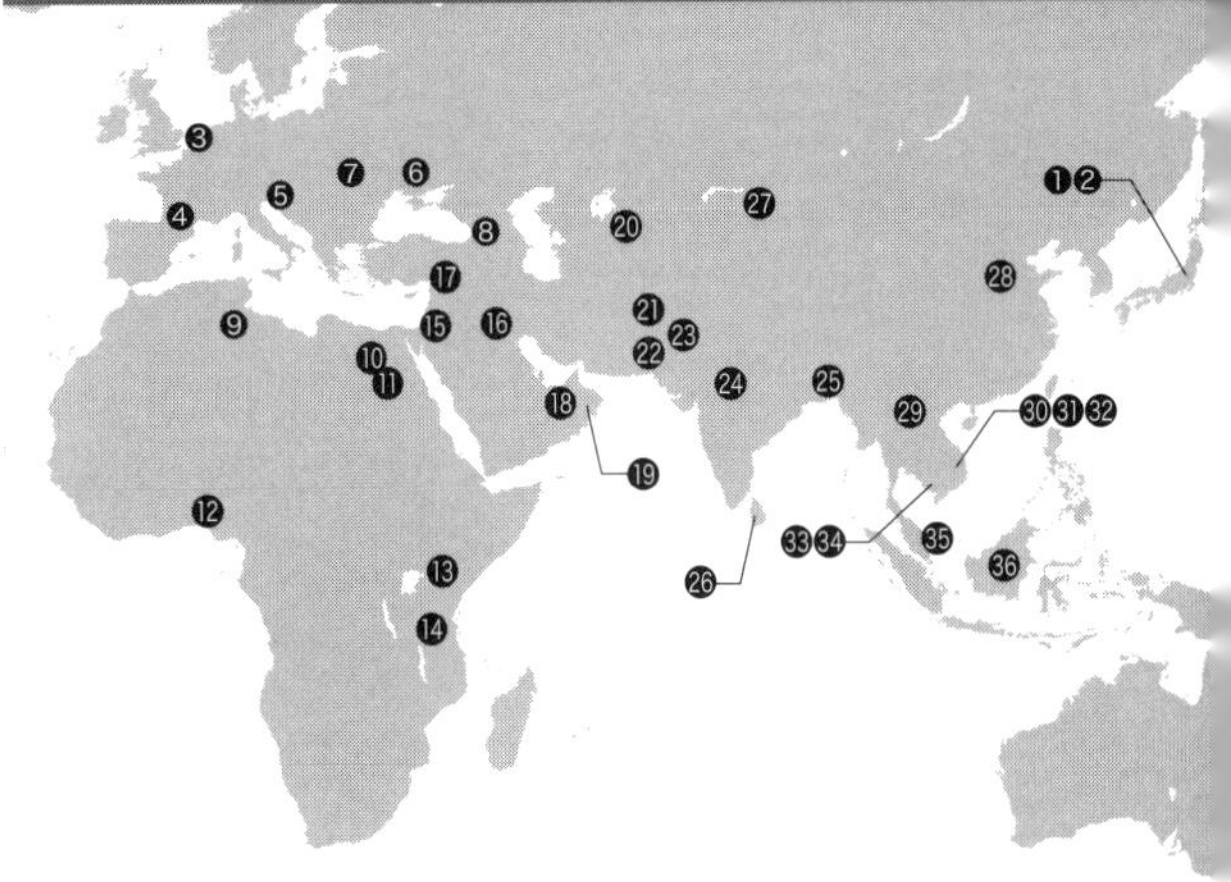

❶日本の世界遺産については p111 参照
❷ル・コルビュジエの建築作品、近代建築運動への顕著な貢献（p54）
❸アムステルダムのシンゲル運河の内側にある 17 世紀の環状運河地域（p173）
❹サンテミリオンの区画（p68）
❺ドゥブロブニク旧市街（p170）
❻リヴィウ歴史地区中心部（p244）
❼ポーランドとウクライナのカルパチア地方の木製ツェルクヴァ（教会）（p245）
❽ジェラティ修道院（p244）
❾カルタゴ遺跡（p4）
❿アブ・シンベルからフィラエまでのヌビア遺跡群（p31）
⓫歴史的なカイロ（p63）
⓬アボメイの王宮群（p238）
⓭ケニア山国立公園（p194）
⓮ザンジバルの石の街（240）
⓯エルサレム旧市街とその城壁（p98）
⓰南イラクのアフワル：生物多様性の保護地とメソポタミア都市群の残存景観（p50）
⓱古代都市ダマスカス（p228）
⓲カルアット・アル・バハーレーン（p234）
⓳フランキンセンスの地（p231）
⓴歴史的都市シャフリサブス（p77）

日本人が知らない世界遺産　目次

2章　世界遺産はどのように選ばれ登録されるのか

3章 世界遺産のメリットとデメリット

図版作成　J-ART

1章　世界遺産の本当の魅力は「多様性」

バーミヤン渓谷の大仏はタリバーンによって破壊された（アフガニスタン）（ⒸUNESCO）

デスクワークだけでは終わらない仕事

わたしの現在の仕事は、UNESCO（ユネスコ）本部の世界遺産条約局で、地理的には最も広いアジア太平洋デスクの専門担当官として、中央アジア、南アジア、東南アジアの世界遺産の保存修復状況について政策支援を行うことです。

仕事の核となるのは、

- 現在登録されている文化・自然遺産をモニタリングし、毎年の世界遺産委員会の決議で保存修復状況に著《いちじる》しい問題があると認められた遺産への査察
- その国の中央政府、遺産管理局、地域の住民の方々との話し合いによる改善策の模索
- 査察の後も一緒に資金を見つけたり、技術支援を続けることにより、締約国の専門家を育て、長期的には外からの支援に頼る必要を減らすため、能力の底上げを図ること

です。

当然のことながら、机に向かっているだけでは終わりません。世界遺産現地、あるいはその候補地に、出向くことも多いです。

その中でも、最近特に印象的だったのは、ベトナムのフォンニャ＝ケバン国立公園です。ユネスコでの20年以上の仕事の中で、最も印象に残っている場所のひとつです。この世に

まだ手付かずの自然があることを感じたい方には絶対的におすすめの場所です。

ミッション遂行のため、巨大な洞窟をひたすら歩く

2018年、世界遺産であるベトナムの「ファンニャ＝ケバン国立公園」の公園管理当局が、国立公園最深部にある世界最大級の2つの洞窟に、ケーブルカーを作るという情報が入ってきました。観光客がアクセスしやすくするためです。

これに対して世界遺産委員会が警告を発し、事務局とIUCN（International Union for Conservation of Nature and Natural Resources 自然及び天然資源の保全に関する国際同盟、通称「国際自然保護連合」）の合同査察ミッションが命じられました。

査察が7月の最も暑い雨期に当たったため、主要な目的地だった公園の中心部にある2つの巨大洞窟に辿《たど》り着くまでに、密林の中を6時間近く歩くことになりました。洞窟内部の地形や危険を知り尽くしている専門家に付き添ってもらわねば、命を危険にさらしかねません。私たちに同行してくれたのは、この洞窟へのツアーを専門にしているOXALISという会社のマネージャーであり、英国洞窟協会の専門家ホワード氏に率いられたベトナム人スタッフのチームでした。

かくして私、IUCNのエキスパート、ユネスコの現地オフィスのスタッフ、ベトナム

政府側のスタッフと、私たちについてくれるライフガード10名、そして我々の荷物、3日分の食料、簡易トイレのテントを運んでくれるポーター20名、料理人2名の、50人近いパーティー編成となりました。

1日目、ドロップオフ（下車）地点から降りしきる雨の中を歩き始めて2時間くらいで、自分の背丈より高い草をかき分け、雨で泥と化した道なき道を滑りながらの行軍になりました。ホワードさんが、「ここですでに脱落する人も多い」と言っていましたが、おそらくこの道の険しさで、この先に恐怖を覚えるからではないかと思います。

6時間の歩行中、洞窟に入る前に休憩をとりましたが、その時にホワードさんが私に、「トイレに行って、服の下にヒルが入っていないかどうか見た方がいい」と言いました。

私は何も感じないと思いましたが念のためチェックしたところ、見事にヒルに食われていました。機密性の高い山歩き用の服を着て全身を覆っていたはずなのに、下に着ていたTシャツはスプラッター映画のように血だらけ。ヒルは原始的な動物のようですが、人が動くだけで体温を感知できるのだとか。

お昼は、世界遺産になってからも登録地域に居住を続けている少数民族バンドンの村落でいただきました。料理人さんの作ってくれたそのご飯の美味しさにびっくり。並みのレストランよりも上でした。オレオやチョコパイもおやつに持ってきてくれてあって、甘いもので気力を回復しました。

午後も続けて数時間歩き、最初の目的地「エン洞窟」に着いたのが午後4時近くでした。先に到着したポーターさんたちにより、なんとテントもトイレもすでに綺麗に建ててあり、リビングのようなテーブルでお茶もいれてもらい、ほっと一息つきました。

エン洞窟は、天井高が最高200メートルに達するという規模で、飛行機も中に入ることができるといえば、その巨大さが分かりますでしょうか。洞窟の中には、かつて周辺に住んでいたアレム族が狩りに来ていたくらいたくさんの鳥が住んでいて、鳴き交わす声が夜中ずっと聞こえていました。

洞窟の中には、驚いたことに湖もあり、水着に着替えて泳ぎました。洗濯もして早めに眠りましたが、両隣のテントにいたエキスパートとベトナムのチームリーダーのいびきとくしゃみが洞窟に響いて笑ったところ、その私の笑い声も殷々《いんいん》とこだましていたそうです。

2日目の朝、洞窟ツアーとは思えないおいしい朝ごはん（フレンチトースト）をいただいたあと、エン洞窟を抜け、いくつも川を渡ってメインの査察地「ソンドン洞窟」へいよいよ出発です。ここに着くまでにはまた、おなかまで浸からないと渡れない川もありました。足元が滑るので下を見ることが多かったですが、人が滅多に入らないジャングルの山間《やまあい》の景色は圧巻です。雨だったので、動物にほとんど遭遇しなかったのが残念でした。

通るはずだった道が、川の水位が高くなりすぎていて消滅しており、迂回路《うかいろ》をとらねばならない場面もありました。この辺りはラオス側のヒンナムノ自然公園と繋《つな》がっているので、川の源流はラオスにあると教わりました。

2日目のお昼も、先に着いた料理人とポーターさんたちが設営した場所で食べましたが、おなかのあたりを再びヒルに2カ所食われていました。

お昼の後、ハーネスとカラビナをつけ、ロープを伝って下りの多い道を通ってついにソンドン洞窟の中へ。この洞窟ができたのは300万年前で（ホワード氏によれば、まだ若い「赤ちゃんの洞窟」）、入り口が見え始めてからも辿り着くまでにかなり長い時間がかかりました。

洞窟の中に落ち着いてそれぞれのテントに荷物を置いた後、強い雨が降って天然シャワーが洞窟の中にできていたため、その滝シャワーでシャンプーをしました。冷たすぎることもなく、髪を洗うことができてすっきりしました。

余談ですが、私は普段からのジム通いや出身地の長野での山歩きのおかげか、一行の中ではいつも一番速く進むことができ、ホワードさんにも、体力があって強い女だとほめてもらいました。まさか、世界遺産の仕事でこんなとてつもない冒険をすることになるとは思っていませんでしたが、すべては体力あってこそ、と改めて感じました。

死がすぐ近くにある3日間

ソンドン洞窟は、現在、地上で発見されている洞窟の中で最大とされています。そのソンドン洞窟での2日目の野営は、雨も降っていたし月は新月から少し経った頃だったので、周囲が暗くて水音が凄く、しかも洞窟の内側に雨水が流れこんで来て、なかなか寝付けませんでした。3回くらい、外を確認しました。一緒に行った仲間たちも、夜中に不安で何回も目が覚めたと言っていました。

3日目の朝、早く起きだして自分でお茶をいれながら、洞窟の入り口から光が刻々と差し込むのを寝不足の目でみていました。洞窟に住んでいた人たちは、光がどんなに嬉しかっただろうと思いました。

ソンドン洞窟を出るのが、直線距離にしたらすぐのように見えるのに、地下を迂回して1時間強かかり大変でした。砂漠のような洞窟の地表、石のテラス、洞窟パール、鍾乳《しょうにゅう》石《せき》や石筍《せきじゅん》……見たこともないものが次々とあらわれました。気の遠くなる時間をかけて形成されているのに、私たちのような少数の人だけしか見ることができない。地球の不思議を実感しました。

洞窟の中の湖を、ベトナム国旗のついたボートに乗って渡りましたが、後ろのみんなが乗ったいかだの光が遠くなったり近くなったり、ときどきゆらゆら揺れて、洞窟の壁は自分のヘルメットの灯りでぼんやりとしか見えず、やはりパニックになりそうでした。

細い洞窟内の湖をやっと渡りきり、梯子《はしご》の下にボートが着きました。ライフジャケットを外し、カラビナと命綱を伝って、80メートルある「ウォール・オブ・ベトナム」と呼ばれるほぼ垂直に切り立った壁面をよじ登って、出口に辿り着く難所を一番に上りました。

みんなに、「いつも最初に行って、君、勇気あるよね」と言われましたが、たくさんのツアー客につきそってきたホワードさんは、「男はだいたい女を先に行かせるんだ」と言って笑っていました。

洞窟の環境はほとんど無機質ですが、途中、天井が水圧で陥没してできた切れ目（ドリーネ）には太陽光が届くので植生があり、そこだけ無機質が終わっていたのも印象的でした。コウモリの糞《ふん》を栄養にして育った植物だとか。

2つ目のドリーネを越え、ここから山を降りるまでも雨で滑る険しい岩場を下るという、かなりの難しいルートでした。

ちなみにソンドン洞窟は18歳以上でないとツアーには参加できず、出発前には健康状態のチェックも厳しく行われます。

このような、命がかかっている緊張状態を3日間も一緒に過ごすと、人間は否《いや》が応《おう》でもチームになることを実感します。気を抜いたら本当に死がすぐ隣にある畏《おそ》れ、携帯の電波も通じません。普段やっぱり究極まで人工化された暮らしをしているんだなと実感しました。夜が夜で、闇が闇であることも普段は忘れているのだと思い出させてくれる、自然の圧倒的な力でした。

ホテルに帰り着いてよく見たら、体のあちこちに大きな痣《あざ》ができていました。しかしなんだか、洞窟という地球の子宮を抜けて生まれ変わったような不思議な気分でした。

査察ミッションのあとでは、通常100ページほどの報告書をチームの他の専門家と相談しつつまとめることになります。

「ファンニャ＝ケバン国立公園」の案件の場合は、ケーブルカー建設については全面的に停止することを勧告しました。人為的な観光客の増加により、洞窟の生態系や状態が大きく影響を受けること、またその影響は洞窟部だけではなく公園全体に波及すると判断したためです。

また、国立公園の他の部分には、外来種による植生の変化の可能性が著しく大きい様子が観察されたため、この外来種の観察と繁殖制限、また、公園及びバッファゾーン全体の土地・活用利用の規定の見直しなどが盛り込まれました。

「水没の危機にあるアブ・シンベル神殿を何とかして救いたい」

そもそも「世界遺産」は、どのようにして生まれたのでしょうか。意外と知られていませんが、建造物や自然としての遺産というカテゴリーが国際的に扱われるようになったのは、古いようで最近のことです。

第二次世界大戦直後、ユネスコを舞台とした多国間外交が文化の分野でまず取り組んだのは、戦争時に持ち去られたり、被害を受けたりした美術品や芸術品などの保護や復旧だったことが、初期のユネスコの総会文書からうかがわれます。ナチスドイツによって組織的に略奪された約60万点ともいわれる美術品などの文化財をいかにして回収し、返還するかが問題になっていたという時代背景もありました。

ユネスコが世界的に注目されるようになったのは、1960年代です。エジプトのアスワンハイダム建設によって水没の危機に瀕していたヌビア文明の遺産、アブ・シンベル神殿をはじめとする遺産群を救済する世界的なキャンペーンに成功したからです。

これらの遺跡群はのちに「アブ・シンベルからフィラエまでのヌビア遺跡群」として世界遺産リストに登録されました。遺産の宝庫と言えるエジプトの中でも屈指の遺跡群で、

水没の危機から脱することに成功したアブ・シンベルの大神殿
(Diego Delso、delso.photo)

「ブラックファラオ」と呼ばれるアフリカ系ファラオを出したこともあったスーダンとエジプトの、古代からのつながりをも象徴する遺跡です。

「水没の危機に瀕しているアブ・シンベル神殿を何とかして救えないか」

1959年、エジプト・スーダン両政府によるユネスコへの正式要請にこたえ、加盟国50カ国以上が資金や技術提供を行い、水没するはずだった神殿群を解体・移築するという前例のない難事業に挑戦しました。

世界遺産の理念の誕生

当時、フランスの文化大臣であった文豪アンドレ・マルローによる「遺産は国や民族で分割することができない、われわれ人類全体の財産である」という主旨の演説は世界の人々から共感を得ました。これをきっかけに、地政学的には一国に属する遺跡群を、人類共通の責任をもって守るべき対象とみなす理念が広く認識され、世界に行きわたり始めました。

こうしてさまざまな世界的な遺産を保護しようという機運が高まっていきました。

1972年にユネスコ総会で採択され、1975年に発効した「世界の文化遺産及び自然遺産の保護に関する条約」(Convention Concerning the Protection of the World Cultural and Natural Heritage、略称「世界遺産条約[*1]」)は、この世界的な潮流が国際的な枠組みに昇華したものと言えます。

ヌビア遺跡救済キャンペーンを端緒として、ユネスコは1990年代に至るまで多くの国際救済キャンペーンを展開してきました。

イタリアのベニス、パキスタンのモヘンジョダロ、インドネシアのボロブドゥール寺院群なども、キャンペーンの対象となりました。現在も続いているものとしては、カンボジアのアンコール（P148）を守るための国際調整委員会が、日本とフランスを共同議長、ユネスコを事務局として、1993年から30年以上継続されています。2023年には調整委員会の30周年をノロドム・シハモニ国王陛下ご臨席の元、ユネスコ本部で祝っています。

しかし、世界遺産条約の歴史上における革新的な意義とは、アンドレ・マルローが提唱した「国境を越えた人類共通の財産」という新しい概念を打ち出したことだけではありませんでした。

多くの国々で学術的にも保全の実践のうえでも、別々のカテゴリーとして扱われていた、「人間が創り上げた文化」と「自然」という区分を、その概念のもとにひとつの国際条約の中に統合したこと。

そういう試みであったからこそ、環境問題が大きく取り上げられ始めた時代の機運に乗り、今日まで多くの締約国の協賛を得続けられていると言えるでしょう。

また、後述の自然と文化双方にまたがる普遍的価値を持つと定義される「複合遺産」の概念は、長い目で見れば、人間と自然との長きにわたっての分断が、「持続可能な開発」の理念のもとに再統合されつつある、その現代の流れにもつながると感じるのは私だけではないと思います。

さらに2015年には、2030年をターゲットとした持続可能な開発のための目標（SDGs）の11番目の目標のターゲット第4項に「世界の文化遺産及び自然遺産の保護・保全の努力を強化する」が策定されました。世界遺産条約の目的そのものがグローバルな開発目標の中に組み込まれたことは、それ以前の開発目標の議論の際、文化についてはほぼ直接的な言及がなかったことを考えると、大きな進歩であると思います。

アメリカが1960年代の半ばから、環境政策の一環として、「世界遺産トラスト」の構想を立ち上げていたことも、世界遺産条約に自然遺産の概念を加えるにあたって重要な意味を持っていました。「世界遺産」という言葉が国際舞台で初めて使われたのは、1965年のホワイトハウスでの国際会議中であると言われています。

アメリカには「国立公園制度」によって、自然公園と有形文化財を合わせて保護するという仕組みがありました。1972年に設立100年を迎えるイエローストーン国立公園に関連付け、重要な自然や景観地域、歴史的地域をリスト化し、維持管理を支援するための国際的な仕組みを国連環境会議においても提案していました。

現在、世界遺産の自然部門の諮問機関である国際自然保護連合（IUCN）も、1968年にメンバー諸国に対して同様の提案を行っていました。

1978年、世界遺産委員会会合で初めて登録された12件には、イエローストーン国立公園（米国）やガラパゴス諸島（エクアドル）など、自然遺産も含まれていました。

採択からわずか3年で発効した「世界遺産条約」

世界遺産条約は、ユネスコ総会での採択の後、早くも3年後の1975年には発効しています。

国際的な条約は、その条文が該当機関で採択されても、一定数の締約国が自国内で条約を批准《ひじゅん》しなければ実効をもった国際法規とはなりえません。しかし、世界遺産条約の場合、採択後、1973年に最速で批准した米国を筆頭に、1975年までに発効のために必要である20カ国が批准しました。日本は比較的遅く、1992年に125番目の締約国となっています。

2024年現在の締約国総数は195カ国。ほぼ全世界の国々が批准していることが、国際条約の中でも最も普遍的な効力を持つと言われるゆえんです。

国際条約を批准した国は、国内法を国際条約の定めるところに従って改定、調整することが必要になり、また、ほかの締約国との間に相互義務が生じますので、テーマによっては、条約として採択されても、発効するまでに長時間を要したり、締約国自体が少ないままだったりして、強い国際的な枠組みとしては機能しないケースもあります。

例えば、世界遺産条約以前にユネスコが採択した1954年の「武力紛争の際の文化財保護のための条約」（通称ハーグ条約）や、1970年の「文化財の不法な輸出入及び所有権の移転の禁止及び防止に関する条約」（1970年条約）などと比較してみましょう。

前者の締約国が2024年時点で135カ国（第一プロトコル批准国112カ国、第二プロトコル批准国88カ国）、後者が145カ国であることをみても、世界遺産条約の普遍的性格は突出していると言えます。

では、なぜ国々がこぞって世界遺産条約を批准したのか？

この本の中で追って解説していくように、主権国家にとって世界遺産を登録することによる利益が大きいということがあると思います。

世界遺産になるということは、国が誇る歴史的史跡・自然エリアなどを世界的に有名にし、国や国民の心のよりどころ、自国の象徴として認められることです。世界史に出てくるようなメガ級の遺産はもちろん、登録前にはそれほど知られていなくても、世界遺産となって知名度が上がり、観光スポットとして大きな経済的恩恵をもたらしているケースも少なくありません。

しかし、世界遺産に登録された案件は、その先もずっと、登録に必要とされたさまざまな条件を満たし続けていかなければなりません。

毎年の世界遺産委員会で新規案件が登録され、該当国は国を挙げての祝賀ムードになることも多いのですが、世界遺産条約前文及び第４条にある通り、大切なのは登録された遺産を守り続け、世界遺産としての価値を人類のために保全することなのです。

その責任を担うのはもちろん、遺産を登録した国です。しかし、その国々をサポートするさまざまな政策・財政・技術支援を行うことが、私も含めた世界遺産条約局の専門官のミッションとなります。

１０００件を超える登録案件に比して、我々事務局の正規職員数は２０２４年時点でわずか30人未満。登録された遺産の保護や保全の状況に問題がある場合も多いですが、そのすべてを逐一モニターし、締約国を助けていくには、組織として限界にきていると言わざるを得ない側面もあります。

世界遺産の中のさまざまなカテゴリー

世界遺産には、「顕著な普遍的価値」（Outstanding Universal Value）を有する文化遺産・自然遺産・複合遺産という大きな区分があるほか、産業遺産、海洋遺産、歴史的都市景観、文化的景観などのあまり詳しく知られていないカテゴリーがあります。それぞれ、例を挙げながら説明したいと思います。

登録物件の内訳は、2024年7月初旬現在、総数1199件のうち、933件が文化遺産、227件が自然遺産、39件が複合遺産です。このうち56件が危機遺産に登録され、48件は複数の国にまたがる越境遺産といわれる登録案件です（詳細は後述）。

「文化遺産」はさらに、世界遺産条約によって「記念工作物」「建造物群」「遺跡」に分かれます。

記念工作物……記念的意義を有する彫刻及び絵画、考古学的物件又は構造物、銘文、洞窟住居並びにこれらの物件の集合体で、歴史上、美術上又は科学上顕著な普遍的価値を有するもの

建造物群……独立した又は連続した建造物群で、その建築性、均質性又は風景内における位置から、歴史上、美術上又は科学上顕著な普遍的価値を有するもの

遺跡……人工の所産又は人工と自然の結合の所産及び考古学的遺跡を含む区域で、歴史上、観賞上、民族学上又は人類学上顕著な普遍的価値を有するもの

世界遺産のカテゴリー

大きく、3 種類に分類される

●文化遺産

記念工作物　例「姫路城」「厳島神社」
建造物群　　例「法隆寺地域」「日光の社寺」
遺跡　　　　例「北海道・北東北の縄文遺跡群」

●自然遺産

例「屋久島」「白神山地」

●複合遺産

例「古代マヤ都市と熱帯保護林」（メキシコ）
※日本にはまだない。

**○条約などでの明確な定義はないが
共通の特徴を持つグループ**

・産業遺産…文化遺産の区分のひとつ
　例「石見銀山」「富岡製糸場」

・海洋遺産…自然遺産の区分のひとつ
　例「ガラパゴス諸島」（エクアドル）

・歴史的都市景観
　例「カイロ」（エジプト）

・文化的景観
　例「石見銀山」

・危機遺産
　例「バーミヤン渓谷の文化的景観と古代遺跡群」
　（アフガニスタン）

・記憶の場
　例「ジェノサイドの記憶の場：ニャマタ、ムランビ、
　ギソッチ、ビセセロ」（ルワンダ）

圧倒的に多い「文化遺産」

現在、世界遺産として登録されている案件のうち、圧倒的に多いのは文化遺産です（2024年7月初旬で933件）。

これは、そもそも世界遺産の理念が、四大文明に含まれるエジプトの「ヌビア遺跡群」や、インダス文明の「モヘンジョダロ遺跡」、また、世界的に著名な都市である「ベニス」などの文化遺産を守るための大きな国際的遺跡救済キャンペーンによって育てられたものであることが大きな理由です。

また、登録には「なぜその案件が普遍的な価値を持つのか」を証明する書類の準備が必要になりますが、古代文明の遺跡や現代でも重要視されている宗教建築、歴史的都市の中心部など、登録に必須の情報や研究がすでに多く存在する案件から、各国が登録を進めていったからでしょう。

文化遺産の登録に関する基準は以下の通り6つあります。このうち一項目以上を満たしていると、世界遺産委員会に認められる必要があります。

i. 人間の創造的才能を表す傑作である。

ii. 建築、科学技術、記念碑、都市計画、景観設計の発展に重要な影響を与えた、ある期間にわたる価値観の交流又はある文化圏内での価値観の交流を示すものである。

iii. 現存するか消滅しているかにかかわらず、ある文化的伝統又は文明の存在を伝承する物証として無二の存在（少なくとも希有な存在）である。

iv. 歴史上の重要な段階を物語る建築物、その集合体、科学技術の集合体、或いは景観を代表する顕著な見本である。

v. あるひとつの文化（又は複数の文化）を特徴づけるような伝統的居住形態若しくは陸上・海上の土地利用形態を代表する顕著な見本である。又は、人類と環境とのふれあいを代表する顕著な見本である。（特に不可逆的な変化によりその存続が危ぶまれているもの）

vi. 顕著な普遍的価値を有する出来事（行事）、生きた伝統、思想、信仰、芸術的作品、あるいは文学的作品と直接または実質的関連がある（この基準は他の基準とあわせて用いられることが望ましい）。

ただし、基準viについては、これのみでは登録が推奨されないという原則があります。

日本の広島の原爆ドームやセネガルのゴレ島は、その場所が象徴する原爆投下や奴隷貿易が世界史にとって重大であるため、基準viのみで登録が認められた例外的な案件です。

日本の登録済み世界文化遺産は、現在、20件あります。皆さんもよくご存じの「法隆寺地域の仏教建造物」「富士山」「白川郷」などです。

富士山が文化遺産というのは、少々意外かもしれません。「信仰の対象と芸術の源泉」として、日本人にとっての文化的意義にその登録理由を大きく拠《よ》っているので、自然物であるにもかかわらず文化遺産として登録されています。

意外と少ない「自然遺産」

次に自然遺産の定義を見てみましょう。

無機的及び生物学的生成物又は生成物群から成る自然の記念物で、観賞上又は科学上顕著な普遍的価値を有するもの
地質学的及び地文学的生成物並びに脅威にさらされている動物及び植物の種の生息地及び自生地でありかつ明確に限定された区域で、科学上又は保存上顕著な普遍的価値を有するもの

自然地区又は明確に限定された自然の区域で、科学上、保存上若しくは自然の美観上顕著な普遍的価値を有するもの

とされ、登録には、以下のいずれかの基準を満たすことが必要とされています。


vii．最上級の自然現象、又は、類まれな自然美・美的価値を有する地域を包含する。

viii．生命進化の記録や、地形形成における重要な進行中の地質学的過程、あるいは重要な地形学的又は自然地理学的特徴といった、地球の歴史の主要な段階を代表する顕著な見本である。

ix．陸上・淡水域・沿岸・海洋の生態系や動植物群集の進化、発展において、重要な進行中の生態学的過程又は生物学的過程を代表する顕著な見本である。

x．学術上又は保全上顕著な普遍的価値を有する絶滅のおそれのある種の生息地など、生物多様性の生息域内保全にとって最も重要な自然の生息地を包含する。


本書の執筆時点で、自然遺産の登録件数は、世界規模で見ると文化遺産の4分の1以下（227件）とかなり少ないです。しかしその総面積は、複合遺産（P44）も合わせると、

全体ではインドの国土よりも広大な地域に相当します。

国家によって保護されている自然地域のうち約8％が、世界遺産として認定されていることになります。

生物多様性や独自のエコシステムの他、進化の過程を実証する自然環境の名残（エジプト「ワディ・アル・ヒタン（鯨の谷）」）や海洋など、地球全体の環境システムや美しい自然風景などに貢献しています。そのうち50の登録案件は、海洋・沿岸遺産（後述）とも区分されるものです。

日本の世界自然遺産は現在5件。「屋久島」「白神山地」などがよく知られています。

日本にはまだ存在しない3つ目の概念「複合遺産」

さて、3つ目の「複合遺産」という概念を、皆さんはご存じでしょうか。

複合遺産とは、文化遺産と自然遺産の両方の価値を兼ね備えている案件です。先程ご説明した文化遺産の登録基準ⅰからⅵ、自然遺産の登録基準ⅶからⅹまでの合計10項目のうち、文化遺産と自然遺産、それぞれ1つ以上（合計2つ以上）を満たす条件で登録されます。

文化遺産か自然遺産のどちらかの区分で登録されていた案件が、もう一方の側面を追認されて複合遺産になるケースもあります。

カラクムルの古代マヤ都市遺跡（Arian Zwegers photo）

たとえば、文化遺産として登録されていて、のちに複合遺産として追加登録された例にはメキシコのカンペチェ州カラクムルの古代マヤ都市と熱帯保護林（2002年当初登録、2014年追認・「私のお薦め世界遺産とその見どころ」参照）があります。

複合遺産の初の登録案件は1979年に遡ります。しかし、世界遺産条約の本文上には、当初は複合遺産についての別途の定義はありませんでした。

世界遺産条約には、その具体的な履行方法を説明した取扱説明書のような、いわゆる「世界遺産条約履行のための作業指針」（Operational Guidelines for the Implementation of the World Heritage Convention）（以下「作業指針」）が付随しています。この指針が2005年に改定された際、46項に追加されました。これは、世界遺産のコンセプトが時代によって変化していくことを示す良い例だと思います。

日本には、まだ複合遺産と認定される世界遺産はありません。これは個人的に、ちょっと意外です。日本ほど、人間と自然の関係がその国民性、芸術表現、生活文化に影響を与え、また自然に対する畏怖が信仰や習慣に結晶している国はあまり例を見ないと感じるからです。

映画キングコングの撮影場所となったベトナムの世界遺産

複合遺産の概念は、具体的にどのようなものか、右の説明では少しわかりにくいと思いますので、例を挙げたいと思います。

世界遺産委員会の勧告により、保全に懸念があるとして査察ミッションのため私が最近訪れた世界遺産のひとつに、「チャンアンの景観関連遺産」(ベトナム)があります。同じベトナムの古都フエなどに比べるとあまり知られていませんが、紅河《こうが》のデルタ南部に広がる石灰岩カルスト地形の渓谷で、足漕ぎなどの小型船で数時間かけて巡る景観は絶景です。新石器時代から3万年にわたる人類の居住の痕跡を残す岩窟などの考古学遺跡も多く有します。

ベトナム北部のチャンアン（Richard Mortel photo）

このチャンアンの景観は、東南アジアでは初の複合遺産です。自然遺産としては上のような独特の景観と地質学的特徴、そして文化遺産としてはベトナムの歴史にとって非常に重要とみなされる、中国から独立した紀元1000年ごろに最初の都となったホアルーの建築群などが含まれています。

登録には文化遺産の基準ⅴと、自然遺産の基準ⅶ及びⅷが適用されています。

この遺跡への査察ミッションに課された任務はいくつかありました。そのひとつが、渓谷の中にある島でハリウッド映画「キングコング　髑髏島の巨神」（2007年）の撮影が行われ、そのセットがそのままアトラクションパークのように機能していること、また、入り口付近の山の頂上に金属製の橋がかけられたこと、これらについて、当局に改善を求めることでした。

いずれも、登録当時にベトナムが予測していた訪問者数を大きく上回る、観光業上の成功に少なからず関係する問題点です。

遺跡内に点在する、観光客によるプレッシャーが多いと判断される「ホットスポット」の特定と管理、入場客数の制限や、遺跡全体のマネージメントの状況を当局と話しあうことも目的でした。

私たちが到着した時、キングコング撮影地のセットに使われていたものはほぼ撤去され、橋も取り除かれていました。撮影セットを除去してほしいという勧告は世界遺産委員会が出したものですが、その理由は、景観をそこねるという以上に、普遍的価値に基づいて登録された世界遺産の中に、その遺産の本来の価値と全く関係のないものが人為的に置かれるのはふさわしくないということでした。

そのセットの跡地には、チャンアン遺跡を紹介するセンターを設置する予定であると、マネージメント組織からの説明がありましたが、2024年の4月に登録10周年の祝典に招かれて再び訪れた際、その通りになっていました。

この撮影セットは、訪れる人たちにかなり人気があり、ここでの物販などで収入を得ていた地元の方々もいるということを当局に教わりました。世界遺産への査察ミッションに行く前に、我々査察官は、事前に読める資料はすべて目を通すことを前提としています。それでも、限られた時間でその場で知っていることのみで下す判断や勧告が、私たちが知らない人々の生活に影響を及ぼすのではないかという責任の重大さを、改めて考えさせられました。

他方、観光客の人数制限については、当局から少なからぬ抵抗がありました。チャンアンの渓谷の大部分は、そもそも陸に上がることが不可能なカルストの渓谷地帯であり、船での遊覧は自然と人数や行動範囲も制限される「受け身の訪問（passive visit）」なので自然に対する負荷は少ないことが、論拠として挙げられました。

これについては、国内からの訪問客が殺到する時期に特に配慮を行い、

- 既存のルート以外にも魅力的な周回ルートを設け特定ルートの負担を軽減すること
- 時間差を利用した予約制にして一回の負担を軽くすること

などが提案されました。マスタープランや観光マネージメントプランは現在改定中です。

チャンアンは複合遺産であるため、私のほかにＩＣＯＭＯＳ（国際記念物遺跡会議）とＩＵＣＮ（国際自然保護連合）の専門家がそれぞれ参加し、スリーマンセル（三人一組）のミッションチームとなりました。お二方とも高い専門性を持ったエキスパートで、結論を

まとめるために、長い時間をかけて議論しています。

メソポタミア文明の古代都市が複合遺産に

もう一つの複合遺産の例は、イラクの「南イラクのアフワル（湿原地域）：生物多様性の保護地とメソポタミア都市群の残存景観」（2016年登録）です。

この複合遺産は、南イラクの4カ所の湿原地域から構成される自然景観と、点在する古代メソポタミアの代表的都市遺跡であるウルク、ウルの2都市の遺構、加えて文化的中心だったエリドゥの遺構をひとつのエリアとして保全することを目指した野心的なケースです。もともとは、現存する湿原地帯を自然遺産として登録する計画だったようですが、ICOMOSはこの登録案件に、シュメール文化の著名な都市遺跡である「ウルク」「ウル」「エリドゥ」の3つの文化資産を加えるよう提言しました。

シュメールと言えば、教科書にも四大文明のひとつメソポタミア文明の最古の都市国家として紹介され、近年では平成アニメ作品の架空の登場人物としても有名になった「ギルガメシュ叙事詩」の主人公である王が治めたといわれる都市ウルクの名を、ご存じの方も多いと思います。

ウルクは、全盛期には5万人と言われるその当時の世界でも最大の人口を誇ったメソポ

南イラクのウルの遺跡。背景にジグラットが見える
（M.L ubinski photo）

タミアの古代都市のひとつで、この世界遺産の中に含まれることとなりました。

誰もがすぐに思い描けるエジプトのピラミッドと比べて、シュメール都市にあった代表的宗教建築物「ジグラット」とはどのようなものか、すぐひらめく方は少ないのではないかと思います。ウルには、保存状態の良いジグラットが残存しています。

3つの都市は、ほかの代表的な都市と、往時は運河でつながれ、互いに経済的文化的な密接なつながりを持っていたといわれます。

このあたりは地殻運動、気候変動、河川力学、降水量や海面の変化などによって形成されたメソポタミア地域に特有の広い沖積《ちゅうせき》平野の一部で、海面変動と気候変化は過去1万8000年にわたり、乾燥から湿潤状態への移行によって、川とその支流を通じて湿地帯に流入する水の量と質に大きな影響を与えてきました。

私たちが今日見ているメソポタミアの湿地帯は、約3000年前の時期に形成されたものです。紀元前5000年から前3000年の古代、ペルシア湾の海岸線は現在の位置の約200キロメートル内陸にあり、沼地はさらに内側に広がっていました。このデルタ平野の湿地帯が、最古の都市群が繁栄した背景だったのです。ウルク、ウル、エリドゥの3都市は、もともと淡水湖沼地の周縁にあり、やがてメソポタミア南部の最も重要な都市に発展しました。

最初期の楔《くさびがた》形文字による文書記録が発見され、考古学発掘物の資料とともに、泥レンガで建設された寺院、ジグラット、複雑な技術や社会構造が最初に現れた場所であり、メソポタミア南部に起こった歴代文化の経済、世界観、宗教的信念が、この湿地帯をベースに発展したことを証明しています。

海岸線は紀元前2000年ごろから南下したことがわかっていますが、これは、古代の湿地帯が気候変動によって乾燥したことにより、メソポタミア南部の大都市の衰退につながったという説の根拠となっています。今日、ウルク、ウルとエリドゥの遺跡は、現存するジグラットなどの遺構を中心に保存されています。

登録地域の自然遺産の方の要素のひとつ、フワイザ湿地帯は、北部と北東部の高地から降る季節性の雨と洪水の水で成り立つ淡水システムです。かつては約2万平方キロメートルに及んでいた湿原デルタは、このあたりが１９９０年代に反政府運動を行っていたシーア派の本拠地だったことから、故サダム・フセイン元大統領が干拓を行い、伝統的な湿地帯の生活は失われ、その生態系も壊滅的な被害を受けたといわれます。

世界遺産に登録された湿地帯はその時に枯渇を免れた数少ないエリアで、２０００年代初頭には、ここで生き残った中東に存在するアフリカとインド起源の主要な鳥類の多くが、ほかの場所でも再び増殖することを可能にしました。中央湿地帯は、生物多様性のために欠かせない基本種の保存に重要な役割を果たしていますが、反対に東と西のハムマー湿地帯には、海から引き込まれる塩水による環境により、独自の海洋魚種や生態学的現象が見られます。

西ハムマー湿地には、何百万もの渡り鳥が広大なアラビア砂漠に入る前に最後のストップオーバーエリアとして訪れています。

富岡製糸場、石見銀山は「産業遺産」

ここからは、条約やその指針に明確に定義はされていませんが、共通の特徴を持ったグループとして認識されている、一般的にはあまり知られていない世界遺産のカテゴリーについて、ご紹介したいと思います。

その一つである産業遺産は、文化遺産のひとつの区分とみなされており、産業革命以降、人間のライフスタイルに劇的な変化をもたらした技術的革新や産業にちなむ場所や施設がこれにあたります。日本では、「富岡製糸場と絹産業遺産群」や「石見銀山遺跡とその文化的景観」などが産業遺産にあたります。

鉱山、輸送機関などが代表例で、また産業によって変化した社会生活を体現する住宅群、産業博物館なども含まれます。このカテゴリーの遺産を産業考古学という分野で研究し、その保存修復について専門に扱う機関として、ＩＣＯＭＯＳに認定された「産業遺産の保存のための国際委員会」（ＴＩＣＣＩＨ）（The International Committee for the Conservation of the Industrial Heritage）があります。

東京の上野にある国立西洋美術館本館を含む「ル・コルビュジエの建築作品―近代建築運動への顕著な貢献」（フランス、アルゼンチン、ドイツ、日本、ベルギー、インド、スイス）は、異なる大陸の7カ国に17の構成資産を有するという希少な世界遺産案件です。フランスの著名な近代建築家ル・コルビュジエが世界各地で新たな社会の要請にこたえるため設計した20世紀建築の代表的な作品が集められています。

後ほど説明します（Ｐ１１２）が、「越境連続遺産」と呼称されるこのような世界各地にまたがる登録案件は、登録手続きだけでなく、登録以後も該当締約国すべてが足並みをそ

世界文化遺産「石見銀山遺跡とその文化的景観」

ろえてレポートの準備やマネジメント体制を整えていく必要があります。行政上なかなか難しい面もありますが、国境を越え、関連する専門家や省庁が協力して保全に当たるという意味で、世界遺産の、そしてユネスコそのものの主要な目的である、世界の国々の相互理解と協力に貢献し、文化外交の重要な側面を担っているともいえるでしょう。

鉄道好きにはたまらない「インドの山岳鉄道」

私が保存状況の査察のため訪れた産業遺産の中に、「インドの山岳鉄道群（Mountain railways of India）」があります。インドの異なった州の山岳部を走る3つの鉄道を統合した遺産です。もともと1999年に、「ダージリン・ヒマラヤ鉄道」として単一資産が登録され、2005年に「ニルギリ山岳鉄道」が登録対象に加えられた際に現在の名称に変更されました。

2008年にはさらに「カルカ・シムラ鉄道」が構成資産

として追加承認されました。アジア初の産業遺産として登録されたこの「インドの山岳鉄道群」は、1番目の構成資産であるダージリン・ヒマラヤ鉄道が現在でもなお、山岳での鉄道運営を技術的に克服した最も顕著な例とされています。1881年に設立され、技術革新のみならず、当初は移動が困難だったヒマラヤ地方の平野部と山岳地帯の住民の交流、物資の流通などに大きな役割を果たしました。

ニルギリ山岳鉄道は、1854年から1908年まで50年以上かけて完成し、標高326メートルから2203メートルまで走る鉄道です。

カルカ・シムラ鉄道は、19世紀半ばに、山の上にあるシムラの街に人手や食料を調達するための手段として拓《ひら》かれました。

私が査察に訪れたのは12月。1週間で5カ所を回るという体力的にかなり骨の折れる出張でしたが、ダージリンとシムラの鉄道に乗せてもらいました。

ダージリン鉄道路線は、山岳鉄道のイメージを地で行く車両や駅が多く、列車には「ヒマラヤン・プリンセス」などそれぞれに名前も付けられ、姿も愛らしい観光列車の趣《おもむき》もありましたが、実際には住民もいまだにこの鉄道をライフラインとして使っています。

鉄道が開通した当時から、その周辺にはすでに住居地区があったので、住宅も店舗も線路のすぐ横に建っており、電車が走っていない間、線路に椅子を持ち出してのんびりとダージリンティーを飲む人々の姿も見られました。

　これを安全上、保全上、危険だと問題視する向きもあります。しかし世界遺産の中には、登録以前からその場所に居住していた人々がたくさんいるケースもあることから、簡単に住民の立ち退き要求や土地のステータスを変更することはできません。

　鉄道車両やエンジンの維持や修理を行っているダージリンの工房は、こちらも技術装置など見どころが多く、鉄道好きな方には必見の場所ではないかと思います。新しい建築物や、住居などの景観への影響は指摘されますが、車窓からはどこまでも広がるダージリンのお茶畑や、万年雪をいただくヒマラヤの霊峰カンチェンジュンガを望むことができました。

　ダージリン鉄道の沿線には多くの駅があり、観光ルートらしく、小さな博物館や展示コーナーが設置されているところが多いです。渓谷の間に建てられた、英国風のティーハウスも素敵でした。

　カルカ・シムラの方は、さらに実用的な鉄道として多くの人に使われており、3つとも現在でもその機能は変わらないままです。

自然遺産の一分野「海洋遺産」

海洋遺産は、言うまでもなく自然遺産のひとつの分野で、1978年、条約が発効して最初に登録された遺産の中に、海洋遺産としてすでにガラパゴス諸島（エクアドル）がありました。世界遺産条約局には、「海洋遺産プログラム」があり、この分野に当てはまる世界遺産案件に対し、独自の支援プログラムを展開しています。

現在、海洋遺産として数えられる案件は37カ国に50件あります。いずれも、海洋の生物多様性、エコシステム、地質学的プロセスや景観美を誇ります。

しかし、気候変動、海洋汚染、開発の進行などにより、いくつかの海洋遺産は大きな危機に瀕しており、中でもオーストラリアの「グレート・バリア・リーフ」は、2012年ころから沿岸部での港湾施設の拡大による水質変化、海水温の上昇などのため、その主要な構成要素であるサンゴ礁が白化する現象が加速しています。一時期は危機遺産リスト入りも検討されるほど深刻な問題を指摘されていました。

登録当時、海域には400種のサンゴ、1500種の魚、4000種の軟体動物が観察される世界最大のサンゴ礁があり、オオミドリウミガメやジュゴンなど、絶滅危惧種も確認されていました。海洋遺産は、範囲が広域にわたることと、人間には必ずしも完全にコ

世界最大のマングローブ林のひとつ、スンダルバン
(bri vos photo photo)

ントロールできない環境変化なども影響するため、その保存にはさまざまな角度からの研究や総合的な対策が必要になります。オーストラリア政府は2050年をターゲットにした海域持続計画を打ち出し、水質の向上などを目標に活動しています。

世界遺産の選択が国政の影響をうけることも

近年私が実際に関わっている海洋遺産のひとつに、世界最大のマングローブ林のひとつ、バングラデシュの「スンダルバン」があります。ガンジス川のデルタ、ベンガル湾にまたがり、総面積は14万ヘクタールに及びます。

干潟、潮汐水路、塩水でも生息できるマングローブ林の群生する島群などで構成され、生態学的プロセスの宝庫ともいわれ、260種の鳥類やベンガルトラに加え、絶滅危惧種のワニや蛇なども確認されています。

現在、スンダルバンで指摘されている問題は、近年、政府が進めてきた火力発電所をはじめとする沿岸部の大規模開発です。それ以前に数回起こっていた輸送船の事故による水質汚染の問題もあり、自然遺産として危機的状況にあるとみなされてきました。

この火力発電所については、欧米諸国のNGOが中心となり、かなり詳細な調査を基にバングラデシュ政府に対する警告をしています。世界遺産委員会での議論の際、バングラデシュ代表団には大臣も務めたことのある特別顧問が参加されており、国土が狭く人口が増加する自分の国には、どうしても必要な施設であり、後戻りはできないのだ、と力説されたことが印象に残っています。

私自身も2021年ごろ、バングラデシュの遺産管理担当者の皆さんの理解を深めてもらうため、世界遺産の基本と、「開発プロジェクトの遺産への影響評価」に特化した特別講座を開催したことがありました。担当官レベルでは皆さん熱心に参加され、議論も盛り上がりました。

しかし2023年の世界遺産委員会では、我々事務局と諮問委員会であるIUCNが委員会に提案した決議案についての議論が、予想しなかった展開を見せました。直前までバングラデシュ政府筋から、事務局からの決議案を、小さな変更だけで大筋は受け入れると言われていたにもかかわらず、国政選挙をにらんで中央政府からの指示による世界遺産メンバーへの働きかけが行われ、大きな修正を提案されました。2晩にわたる「ドラフティンググループ（委員国有志による決議案修正を検討する作業会）」による折衝の結果、決議案は大幅に書き換えられ、次回の義務報告は2025年に世界遺産委員会にはかけられない形の中間報告、2024年に提案されていた本報告書は2029年まで提出が引き延ばされる運びとなりました。

このように、国政に関わってくる重要な場面で世界遺産への取り組みが対立党や世論に大きく取り上げられているケースでは、交渉の余地は非常に狭くなる件が多いと感じています。

しかし委員会の本会議の場で、バングラデシュの主張を支持する委員国の議論だけでの採択を避け、委員国による決議案の修正案を検討するグループ作業に持ち込んだことで、他の委員国への説明やテクニカルな議論も行うことができました。事務局とIUCNとしてここだけは譲れないという点だけは残されることになったのが、せめてもの救いです。

この数年の間に、締約国がどのようにスンダルバンを巡る環境を世界遺産として保持してくれるのか、非常に気になるところです。

保存と開発の問題を抱える「歴史的町並み」

世界遺産リストに登録されている都市や街並みは、300件以上あり、101カ国に存在します。その中には、シリアのダマスカス（「私のお薦め世界遺産とその見どころ」参照）のように古代から都市として機能し、戦争や征服、社会的政治的な動乱を乗り越え、人間の生活の営みの舞台となってきたものが多くあります。イエス・キリストの弟子であるペテロが宣教したことで知られ、その後のイスラム時代においても、経済や政治の中心都市として栄えてきた歴史ある街です。

それゆえ、同じくイスラムの代表的な歴史的都市であるカイロなどと並んで、現在も古い街並みに暮らす人々の生活とどうバランスをとるか、特にインフラ整備と伝統建築保護修復の面では大きな課題があります。

歴史的都市の保全は、2030年を達成期限とする持続可能な開発目標11「サステイナブルな都市とコミュニティー」にも密接にかかわっています。

世界遺産リストに登録されている複数の歴史的都市が、保存と開発の問題を抱えていることをふまえ、2005年、世界遺産委員会は歴史的都市の保存を社会経済発展の戦略に

歴史的都市カイロ（©UNESCO）

組み込むための新しいグローバルな法規文書の策定を勧告しました。
これを受けて、2011年に採択されたユネスコの「歴史的都市景観に関する勧告」は、世界遺産リストに含まれるか否かを問わず、都市景観の保護や開発との関係についての指針を示しました。
また、世界遺産委員会は「歴史的都市」に対する支援を、公式に事務局のプログラムと承認しており、その主な目的は、都市遺産の保護修復の理論的な枠組み作りと、新しい政策を施行するための加盟国への技術支援を両輪としています。

最近、私が関わった歴史的都市にカイロ（エジプト）があります。
カイロの中心部は、10世紀に建設され、イスラム世界の新しい中心都市として14世紀には黄金時代を迎えました。

現在でもモスク、マドラサ、ハマムや泉水など、多数の歴史的な建造物が残る、由緒あるダイナミックな都市です。

カイロはまず1979年に「イスラムのカイロ」として、イスラム期の建造物を主な保存対象として世界遺産リストに登録され、のちに「歴史的カイロ」と名称を変更しました。1997年から、10回以上世界遺産委員会による保存状況の審議の対象になっていることから、保存に伴う困難が著しいことが窺われます。

歴史都市の保存を考える際の難しさは、そこが人間の居住地として、生きた場所として存続しているという、いわば都市を都市ならしめている最大の条件に直結しています。

カイロが世界遺産に登録された1970年代には、「歴史的都市景観」や「文化的景観」などの概念は、まだ一般に認識されていませんでした。前述の2011年に採択された「歴史的都市景観に関する勧告」などによって、世界遺産のコンセプトが拡大・深化していく過程で、建築物中心に価値が認識され、保存修復が行われてきた初期の登録案件に、いわば後付けで考慮をうながすようになった例ともいえます。

世界遺産の価値とそこに暮らす人たちのギャップ

近年カイロの問題として、当局の対策が歴史的な区画のみに偏《かたよ》っていることが挙げられていますが、これはカイロだけの難しさではなく、同じように古い歴史ある都市であれば多かれ少なかれ直面する課題です。

住民が居住するエリアにおいては、伝統的な住宅建築物が老朽化した際に昔ながらの手法による修復作業を金銭的に賄《まかな》えない住民によって建て替えられたり、歴史的な街路の幅が大きく広げられたり、20世紀の墓地が移築されるのを見過ごしていたりします。

都市形態（モルフォロジー）の変化によって、もともとの歴史的都市の生き生きとした文化や機能が失われているという指摘がなされています。しかし、そこに暮らしている人々にしてみれば、それらは自分たちとともにあるものなのだから、変化するのは当然であると感じられるかもしれません。そのバランスの是非を誰が決めるのか。それはとても重要な問題です。

2014年のカイロのイスラム博物館の爆破事件の後、私はメヒティィルド・ロスラー前世界遺産センター長と、世界遺産カイロと博物館とを両方支援するためのミッションに一緒に行ったことがあります。

そのため、２０１９年に行われたカイロの査察ミッションのリポートの仕上げが難航した時に、校正してほしいと頼まれ、その原稿を読んだことがあります。専門家によって問題点と指摘されている事項そのものが、そもそも世界遺産登録時の基準には直接言及されていないとも言える要素であることに気づきました。

締約国にしてみれば、もともと歴史的な建造物や著名な区画の価値を認められて登録したはずが、なぜ私財である個人住宅や、20世紀の新しい部分にまで口出しをされねばならないのか理解できないと感じるのかもしれないと思いました。

遺産当局はもちろん、開発に関わる全ての人々に、世界遺産のコンセプトの深化と新しい概念について、たえず知らせ、ともに考えていくことの重要さに気づくのはこういった時です。

また、ここまで大きな都市になると、文化はそのひとつのセクターに過ぎず、生活インフラ、社会経済、宗教的権威などを担当するさまざまな機関に分割担当されているのが現実です。

ここ数年の世界遺産委員会での議論で、開発と遺産保護政策の齟齬《そご》が浮き彫りにされています。これは、大部分の締約国において、開発を主導する国や地方政治の責任者は、世界遺産条約の締約国として自国に課されている義務の詳細を必ずしも正確に知っているわけではないことが、大きな原因と感じています（無理もないことですが）。

それによって、あとに述べるウズベキスタン（Ｐ77）やラオス（Ｐ159）のケースのように、遺産の価値にとってもはや取り返しのつかないリスクが生じることもあるのです。

私の個人的な感想としては、すでに多くの歴史的都市や街並みが世界遺産として登録され、少なくとも国内法によって規制を受けている状況では、その保全についての考え方も、固定的な規制や建造物中心のみの考え方ではなく、変貌する都市のダイナミズムをある程度寛容に受け入れることが必要になってくるのではないかと思っています。

「文化的景観」に選ばれた農地

すでにカイロについて言及しましたが、文化的景観とは、世界遺産条約の作業指針47項に、「文化遺産であって、条約第一条にいう『自然と人間との共同作品』に相当するものである。人間社会または人間の居住地が、自然環境による物理的制約の中で社会的、経済的、文化的な内外の力に継続的に影響されながら、どのような進化をたどってきたのかを例証するものである」と規定されています。

1992年、世界遺産条約は、第16回会合で、文化的景観を世界遺産のカテゴリーに含めることにより、その保存修復を推進する方針を採択した最初の国際法規となりました。

これまで6件の越境遺産を含む121件の世界遺産が文化的景観と認定されています(うち1件は後述・世界遺産リストから抹消されたドレスデン)。生物多様性を維持する土地利用の例、住民と居住地との強い精神的結びつきがみられる例、特異な農業形態を発展させた土地の例、人間と自然とのかかわりによって生みだされた景観には、多様なケースがあります。

日本では石見銀山が、「伝統的技術による銀生産を証明する考古学的遺跡及び銀鉱山に関わる土地利用の総体を表す」として、明示的に文化的景観として登録されています。

文化的景観の例と言えば、都市に加え、特定の地域特産品に関係する農業エリアがあります。フランスのボルドー地域にある「サンテミリオンの区画」のようにワイン醸造に関するものがよく知られています。ワイン醸造は、ローマ帝国の属州ガリアと呼ばれた時代、フランス南西部のアキテーヌ地方にもたらされ、中世に盛んになりました。

サンテミリオンは、カトリックの聖人である聖ヤコブの遺骸《いがい》がまつられていることで知られるスペインの人気巡礼地、サンティアゴ・デ・コンポステーラへの巡礼ルートの途上

サンテミリオンのワイン醸造所（Pascal MOULIN photo）

にあるため、11世紀から多くの教会や修道院、ホスピス（巡礼者が宿泊できる施設）が建設されています。

12世紀、「アキテーヌ公」でもあった英国王の統治下で特別法地区として設立されたぶどうに特化した単一生産地域の風景と、土地の守護聖人である聖ミリオンの洞窟、中世のカタコンベ（地下墓所）、ロマネスク様式の宗教施設に加え、18世紀以降に建設された、ワイン醸造施設や作業場を備えた「シャトー」が点在する景観が知られ、現在もたくさんの観光客を魅了しています。

総面積は7847ヘクタール。私も、ボルドー地方に縁があるため、何度もこの周辺を訪れていますが、美しい景観もさることながら、ワイン醸造に関する文化の無形遺産的な要素が大きく感じられる例として、訪れる価値は大きいと思います。

世界遺産リストから抹消されたドレスデン・エルベ渓谷

一方、ドイツのドレスデン・エルベ渓谷は文化的景観として登録されましたが、2009年に世界遺産リストから抹消されました。

ドイツ東部ザクセン州の首都として、エルベ川の上流域に形成されたエルベ渓谷の谷に開かれたドレスデンの町を中心に、16世紀から20世紀に至る建造物や公園を含み、ピルニッツ宮殿やドレスデン市中心街をハイライトとする文化的景観として登録されました。登録範囲には、エルベ川や、現在もワイン醸造に使われているテラス状の丘陵に加え、19世紀の産業遺産であるブラウエス・ヴンダー橋、ケーブルカー、モノレールなどの19世紀来の技術関連の施設・交通機関も含まれていました。

ドレスデンの世界遺産リストからの抹消は、景観の中心部に建設された4車線のワルトシュレスヘン橋が、登録時に認められた顕著な普遍的価値を損ねたと判断されたからです。2006年の危機遺産登録から数年の猶予を経て、抹消に至りました。

コンクリートと鋼鉄製のこの橋は、ドレスデン旧市街の交通緩和を目的にしており、その架橋計画は第二次世界大戦以前に遡るともいわれています。

橋の建設は2005年の住民投票の対象となっていましたが、架橋した場合、世界遺産リストからの登録抹消もあり得るとは、その時点では有権者には必ずしも明確に理解されていなかったともいわれています。委員会での議論を受け、ドレスデン市議会は建設中止を決議したものの、州政府や州裁判所、連邦裁判所はこれを支持しませんでした。

2007年の世界遺産委員会ではドイツが対策を講じる猶予が与えられ、2008年にはすでに着工された部分を復元するなどの可能性を示唆《しさ》しつつもう一度猶予が与えられました。しかし結果的には、ドレスデン州議会は建設の続行を決議し、翌年、登録の抹消が決まりました。

抹消に関する決議案では、世界遺産委員会として、ドイツがドレスデンをもう一度世界遺産に登録を要請する可能性も示唆しました。橋の建設によって文化的景観としての当初の価値は損なわれたかもしれませんが、その他の部分にはまだ顕著な普遍的価値を認められる可能性があり、資産の区域設定や登録基準を変えればその部分を登録しなおすこともできるという見解です。

しかしながら2024年時点で、ドイツの暫定リストにはドレスデンは含まれていません。

危機にさらされている世界遺産（危機遺産）

世界遺産条約のシステムの中で、日本の皆さんに知ってほしいもうひとつのポイントは、「危機にさらされた遺産」（危機遺産）（World Heritage in Danger）というカテゴリーがあることです。世界遺産条約の第11条4項でこう言及されています。

同委員会は、事情により必要とされる場合には、世界遺産一覧表に記載されている物件であって、保存のために必要とされる大規模な工事についての援助がこの条約に基づいて要請されているものの一覧表（「危険にさらされている世界遺産一覧表」と称する。）を作成し、常時更新し及び公表する。この一覧表には、工事に要する経費の見積りを含む。その一覧表には、文化及び自然の遺産を構成する物件であって、損壊の進行による滅失の危険、大規模な公的又は私的な工事、急激な都市開発又は観光開発のための工事、土地の利用又は所有権の変更に帰因する破壊、未詳の原因による重大な変更、各種の理由による放棄、武力紛争の発生又は脅威、災禍及び大変動、大火、地震、地すべり、火山の噴火、水位の変化、洪水及び津波のような重大かつ特別な危険にさらされているものに限って記載することができる。同委員会は、緊急の必要がある場合にはいつでも、危険にさらされている世界遺産一覧表に新たな記載を行なうことができるものとし、その記載について直ちに公表する。

これは、武力紛争、自然災害、その他何らかの理由による破壊などにより、世界遺産として登録された際の条件が著しく損なわれ、「重大かつ特別な危険にさらされている」と世界遺産委員会に認定された世界遺産を、世界遺産条約を批准している国際社会全体で支援するための仕組みです。

現在、このカテゴリーで良く知られているものとしては、私が担当している「バーミヤン渓谷の文化的景観と古代遺跡群（アフガニスタン）」が挙げられます。

アフガニスタンはマケドニアのアレクサンドロス大王の東征を契機とし、シルクロードの東西の十字路として1世紀ごろから石窟仏教寺院が開削されたことで知られ、5〜6世紀ごろに彫られた、高さ55メートルの西大仏と、38メートルの東大仏が有名です。

ご存じの方も多いと思いますが、この西大仏と東大仏は2001年、イスラム原理主義グループのタリバーンによる爆破により、ほぼ原形をとどめないほど破壊されました。その後2003年に、損傷した状態のままの2つの仏龕《ぶつがん》（仏像を安置する空間）を含む周辺の8件の構成資産が、1つの世界遺産として、同時に危機遺産として登録され、現在に至っています。

古代より、戦争の際に敗者の文化的な遺物や宝物を勝者が破壊したり、あるいは略奪してわがものとしたりしてきた歴史は存在します。

しかし、タリバーンによる大仏破壊事件は、物質的な価値を超えて、文化の交流や歴史を理解するうえで重要な考古学遺物を、宗教的な理由で消滅させるという新しいタイプのテロとして世界に衝撃を与えました。


すでに触れた条約の本文にあるように、重大な危機にさらされたと委員会が認定する危機遺産案件については、毎年、締約国による状況の報告が求められます。委員会によって、危機遺産から脱却するための条件が示され、その条件を満たすために、遺産保全の責任者である締約国、事務局、その他の国が努力する義務があります。

1960年代から80年代には前述のように、国際的な遺産の保全事業はユネスコによるキャンペーンとして行われていましたが、現在はこの危機遺産登録によって国際社会の注意をうながし、資金・技術援助をつのるケースも多くなっています。

バーミヤンについては、日本政府のユネスコ信託基金や、二国間援助による総額6億円を超える保全事業が現在6期目を迎えています。カンボジアと並び、日本の皆さんの貴重な税金を、世界遺産の修復に使わせていただいている例です。

努力の結果、危機遺産から脱却できた喜ばしいケースには、2021年に危機遺産登録を解除されたコンゴ民主共和国のサロンガ国立公園があります。

バーミヤンの大仏の復元は「正しい」ことなのか

バーミヤン保全事業の第6期目は、2021年8月のタリバーン政権の復権により、一時期中止を余儀なくされましたが、2023年から再開し、危機遺産を卒業することを明確な目的にして、活動の内容が練られています。

タリバーン政権復活以前には、バーミヤンについて、現地では大仏2体を復元したいという声も大きかったのですが、現在のところ、復元の是非については慎重な議論が続けられています。

2017年の東京での国際会議では、4つの国際チームがそれぞれ、再築に関する案を発表しました。

ここで根本的な問題となるのは、遺跡が破壊後に登録されたものである点です。

国際的な修復哲学の本流は、そもそも遺跡の経年摩耗や損傷すらもその遺跡の歴史であると考え、あえて手を加えなかったり、修復部分をはっきりわかるように直したりする傾向もあり、現地の人たちの希望するような復元とは、乖離《かいり》しているのではと思われることもあります。

しかし、そもそも遺跡保全の目的とは、目に見える形に関わることだけなのでしょうか？　バーミヤンの2体の大仏は、現在ではイスラム教徒である現地の人々にとって、東西の文明の交流や、仏教伝播のあかし、という学術的考古学的な価値よりも、この2体がバーミヤンの王族と、異国から来た姫君の像であり、2人は愛によって結ばれていたという伝説と、長きにわたってバーミヤン渓谷に溶け込んでいた景観であったという意味の方が重要なのではないかと思うこともあります。

復元に関する議論は、文化財や遺産に関する文化的な考え方の違いを考慮に入れつつ、何よりもその遺跡に最も日常的に触れてきた人々の意見を尊重して行うことが必要であると認識されているのはそのためです。

全世界で見ますと、バーミヤンを含め、現在危機遺産として登録されている案件は56件あります。２０２３年にはウクライナのキエフとルビーブがともに危機遺産に登録されました。このように、紛争地域における国の遺産が多く含まれますが、近年では観光誘致のための都市景観の美装、ダム建設など、開発とのアンバランスによって遺産の保護保全が十全でなくなるケースも見られます。

「危機遺産」に登録されるのはマイナスイメージ

私は現在、2016年から危機にさらされた遺産として認定されているウズベキスタンの歴史的都市シャフリサブスを担当しています。登録の抹消、あるいはいったん抹消した後に新たな普遍的価値によって再登録するシナリオを政府側と模索してきました。

「シャフリサブスの歴史都市中心部」は、シルクロードのオアシス都市として栄えたブハラやサマルカンドほどは知られていないかもしれません。しかしモンゴル王朝の後継者であり、14世紀の中央アジアの覇者として名高いティムール朝の創始者であるタメルラン（ティムール）の出生地でもあり、その治世下から3世紀ほどの間に最盛期を迎えた重要な歴史的都市です。

南ウズベキスタンのシルクロード上に位置するこの都市は、2000年ほど前から人が居住しており、中央アジア独自の都市構造と、イスラム世界のアジアでの発展の歴史を理解するに不可欠なさまざまな様式の重要建築物を擁しています。

特に1380年に建設が始まったアクサライ宮殿は、中央アジアのティムール朝期の建築の中でも、その規模と設計から最も抜きんでた作品として知られています。

白大理石のティムールの霊廟《れいびょう》、市場、公衆浴場、モスク、古い民家の建築などが、世界遺産としての価値を構成する資産として認められました。ソヴィエト連邦時代に多少、歴史的要素とそぐわない建築が付加されていますが、都市の伝統的な構成自体は損なわれていないと判断され、登録されました。

ところが、2013年にウズベキスタンが認可した「2013年から2015年にかけてのカシュカダリア地方における観光推進プログラム」と、2014年に国家事業として認められたシャフリサブスに関する再建対策の採用によって、大規模なインフラ改善事業が実行されたことが明らかになりました。

この事業の一環として、都市の歴史的な外観に対する介入だけでなく、高層階を持つ近代建築によるホテルなども建設されました。シャフリサブス市の外壁付近の居住地区の建物を景観の美化のため計画性なく解体すること、商業施設と民家の建設なども含まれていました。

2016年に派遣された査察団によれば、この時点ですでに、世界遺産登録時に認められていたシャフリサブスの歴史的価値の中核である都市計画の歴史的様相や、社会文化的なアイデンティティを象徴する、中世から存続していた歴史的区域に属する70ヘクタールの範囲（登録された都市部分の総面積の30％に相当と推定）で建築物が解体されていたと報告

シャフリサブスのアクサライ宮殿
(©UNESCO)

されています。

加えて、街路が変更され、伝統的な緑地地帯がなくなり、歴史的な水道システムが置き換えられました。「マハラ」と呼ばれる、この地域に特徴的なベランダ付きの中庭を囲んで建てられた伝統建築のならぶ集合住宅地区も、多くが破壊されたと報告されています。

イスラム世界では「ご近所さん」の代名詞として使われることもあるマハラは、居住地としての建築だけでなく、その地区に形成される昔ながらの家族関係や相互扶助の組織としても、都市の重要な機能として認識されてきました。そのため、マハラの消失は、伝統的都市にとって大きな喪失として認識されたのです。

また、都市の様相のみならず、歴史的都市の重要な価値として認められている市場や浴場などの歴史的建造物にも、不適切な改築や修復が行われたことも問題とされました。

登録の際に認められた価値を構成する街の歴史的要素が、美化政策によって破壊されたとみなし、事務局と諮問機関は、歴史的都市シャフリサブスにもはや不可逆の変化がもたらされ、資産の価値は損なわれたと判断しました。そこで、従来のルールに沿っていったん登録を抹消し、改めて普遍的価値を保持している部分を特定してからの再登録の可能性を示唆しました。

しかし、ウズベキスタン当局は登録の抹消をせずに済む解決方法を希望しています。どのような理由があるにせよ、世界遺産登録抹消案件を出すというのは国家にとって大きなダメージであると見なされているようです。

その意向を受けて、我々事務局と諮問委員会は現在次のような解決策を提案しています。残存するティムール朝期の主要な公共建造物群、あるいは依然として伝統的要素を復元可能なマハラの集合地帯を含むティムール朝の都市計画の中核をなす要素を選択しなおし、それに対応する形で登録範囲の境界線および普遍的価値の定義の変更を行うことです。

締約国の体面をつぶさず、しかも条約の規定の許す条件でこのような困難なケースを乗り切るためには、緻密な学術的調査、保存計画の修正など、大きな経済的人的負担が必要になります。

このような状態に至らないよう、大規模な工事や修復の際は、事前に事務局や諮問機関との折衝が原則になっています。

世界遺産センターの同僚によりますと、1978年ごろまでは、援助の増大や保存活動の強化に資するということで、進んで危機遺産に登録を希望する締約国もあったようですが、それ以降はむしろ、保存状態や政策不備を批判されるという負の側面が大きく、危機遺産として事務局と諮問機関が提案した案件の10のうち4から5件は、世界遺産委員会中の折衝によって、事務局が提案した決議案から危機遺産登録の部分が抹消される事実がみられるそうです。

これは、世界遺産委員会の政治化と言われる側面のひとつの表れともいえるかもしれません。

「負の遺産」ではなく「記憶の場」

日本語ではしばしば、戦争や紛争にまつわる、またそれらの歴史的な出来事の解釈を巡る民族や国家間での主張の相違や、政治的な問題を内包する場所や建物について、「負の遺産」という言葉が使われるようです。

しかし、事務局ではそのような形容はしていません。我々は国際条約の規約に基づき、その世界にとって価値があると思われる遺産を登録することをミッションとしていても、その案件の価値について、倫理的な判断をする立場にはないからです。

現在よく使われている用語は、「記憶の場」（Sites of Memory）でしょう。フランスの歴史家ピエール・ノラの著作で有名になった「Lieux de Mémoire」を、英語にしたもののようです。

世界遺産委員会による２０１５年の「明治日本の産業革命遺産」の登録と、翌２０１６年に開催された世界遺産の解釈に関する国際会議の勧告により、世界遺産条約事務局は、「記憶の場」に該当する世界遺産の解釈についての研究報告を、国際的な研究グループである「良心に関わる場所の国際連立（ＩＣＳＣ＝International Coalition of Sites of Conscience）」に委託しました。この研究を財政的に援助したのは韓国政府でした。

２０１８年に上梓《じょうし》されたＩＣＳＣの報告書は、既に存在する類似の原則（ＩＣＯＭＯＳによるもの、国際博物館機構（ＩＣＯＭ）によるもの、ユネスコによる文化・自然遺産のマネジメントについての手引き等）に依拠しつつ、世界遺産に登録されることによって起こりうる解釈の変化や政治的影響についての興味深い分析と、世界各地のグッドプラクティスを紹介し、報告書の最後に、17項目からなる勧告を提案しています。

勧告の第16項では、「包括的な解釈の枠組みを構築するため、歴史上の出来事に関する相いれない複数の記憶が潜在的に存在する案件に関しては、50年あるいは2世代相当の時間を経ずして登録することを避ける」ことを推奨しています。

しかし、本質的問題は時間ではなく、むしろ政治的問題を世界遺産や歴史の解釈に持ち込むことを避けるという前提ではないでしょうか。

世界遺産に限らずとも、世界には二国間、多国間でいまだ解決されていない過去の歴史や関係によって、政治的に議論される場所や出来事が多く残っています。

国境紛争のきっかけになった世界遺産「プレアヴィヒア寺院」

2008年に世界遺産に登録され、それをきっかけに一時期はカンボジアとタイとの国境紛争にまで発展したプレアヴィヒア寺院の例などは、その最たるものでしょう。寺院は9世紀末に建築されたものです。アンコールを都としたクメール王朝によって建てられた寺院で、現在のタイのみならずラオスの国土の一部も、クメール王朝の全盛期にはその領土となっていました。

プリアヴィヒア寺院の周辺は、カンボジアの最北端に位置しており、1962年にオランダのハーグにある国際司法裁判所は、領土をカンボジアに帰属すると認める判決を出しています。

土地の帰属はカンボジアとタイにとって積年の争点でしたが、2008年に世界遺産に登録されるまでは沈静化していました。当初、タイはこの寺院の世界遺産登録を支持すると表明していました。しかし登録後にタイ国内で世論がこの支持が法律に反しているという方向に高まり、またタイ人が寺院に不法侵入したとしてカンボジア側に拘束されたことをきっかけにタイの軍隊が派遣され、交戦状態となりました。

２０１１年には再び、両軍が交戦状態に入り、数千人の民間人が避難し、数十人の死者も出ています。

私がプレアヴィヒアを訪れた２０１１年、両国はまだ交戦中で、遺跡の中には入れませんでした。その代わり、幕僚本部で私を迎えてくれたのはカンボジア軍の将軍でした。「ＧＰＳで感知されるので、携帯電話はオフにしてね」と言われ、歓迎行事として、現地で寿命が延びるとされる黒い大蜘蛛を漬けたお酒をいただき、蜘蛛の脚も食べたことを覚えています。味についてはよく覚えていませんが……（笑）。

その後２０１３年11月には、帰属が未確認として問題視されていた寺院周辺の土地について、国際司法裁判所がカンボジアに帰属するとの見解を表明。交戦状態が終わっていたこの年の夏の休暇中に、私は念願の「天空の寺院」と呼ばれる遺跡そのものへの訪問を果たすことができました。

この例が示すように、法規的には解決していると解釈できることであっても、当該国の

プレアヴィヒア寺院
（©UNESCO）

国民の民意が、教育によって、その時の社会の状況によって、また国内政治や外交の変化によって、思いもかけぬ方向へ進むことがあるのは、今もこの先も、歴史を政治的に利用する人々がいる以上は避けられないでしょう。

そのため、このような案件を国際的な条約の下で登録しようとするならば、あらかじめ予想できる歴史解釈の問題については、当該国の間でとことんまで議論研究を重ね、統一した見解に至ってから申請してほしいと願わずにいられません。そうでないと、登録されてから長い間、政治的な論争の種であり続ける危険があり、それでは本来の条約の目的が達成されるどころか、反対の効果を生んでしまうからです。

ＩＣＳＣの技術的勧告は、記憶の場に関する解釈の枠組みを作ることを強く推奨しています。歴史的な出来事を解釈する事業に携わる責任者は、出来事に関心を持つグループが、たとえ相違点や対立点があっても、共通の体験と目標を打ち立てることを目標に、その活動に参加することを容易にするような努力が必要である、と述べています。

「世界遺産の域内に遺《のこ》る植民地時代の建物を除去したい」というリクエストに応えるべきか否か

記憶の場としての世界遺産で、私が2022年から関わっているケースに、ベトナムの「ハノイの昇竜帝城遺跡」があります。

登録エリアの中にあるフランス植民地時代の2つの大きな建造物を除去したいというベトナム当局の要望をうけて、幾度も現地へのミッションを行って検討を進めています。2010年に登録されたこの案件は、ハノイ市の中心部にある7世紀から20世紀にまたがるベトナム皇統朝の遺構である帝宮を中心とした考古学エリアで、宮殿跡から塔に至る王道の真ん中に、植民地時代の宗主国フランスの軍事活動に使われた建物が道をふさぐ形でそのまま残っており、景観としても、ベトナム皇朝時代の空間的構成を変容させた状態になっています。

2つ目の建物も、ベトナム皇朝の祖霊供養が行われていた宮殿背後の奥宮の部分に建てられており、その地中部の発掘や研究を妨げているだけでなく、国民共同体にとっては、植民地支配によるベトナムの歴史上重要な遺構への加害の痕跡として望ましくない要素とみなされています。

ベトナムの昇竜帝城遺跡（Katiebordner photo）

ここで問題になってくるのは、世界遺産に登録されたとき、この遺構はベトナム皇朝の歴史のみならず、植民地化とそこからの独立、南北統一という、近現代史の証人としての価値を認められており、これらの建物もその価値を証明する要素として含まれていたということです。

したがって、「普遍的価値」に瑕疵《かし》をつけずに、この2つの建造物を除去することが正当化されるのかどうかが焦点になってきます。

2023年7月に査察に行った際、ベトナム国家の精髄に関わる大切な場所に、物質的精神的支配の痕跡が残されているこのような状態はベトナム国民にとって耐えがたい屈辱であると、何人もの関係者が控えめでしたがはっきりと、会話の中で口にしていました。

私と一緒にベトナムに派遣された専門家のお一人がケニア出身で、ベトナムの方が公的な場所では言わないことを、同じく植民地時代を経験した国の出身者として、代弁していた姿が印象的でした。

現時点での我々事務局とＩＣＯＭＯＳの共通の立場は、この２つの建造物そのものは、歴史を画するような建築そのものとしての価値は低く、また近現代史の重要な要素としても、唯一の例ではなく、ハノイにはフランスの近代建築をより顕著にあらわす作品が多数残っているため、またこれらの建物を除去することにより、登録価値の一つであるベトナム王朝時代の歴史や達成についてのより深い理解のための考古学調査・研究が可能になるため、除去についてはしかるべき記録や手続きを踏めば認められるという認識です。

ベトナム政府の意向を、条約の規定の中で解決できれば、遺跡が誰のためにあるのか、また時間とともに変容してゆくその価値を、登録後に取捨選択することも可能にし、そこに到る具体的な議論を示す、画期的な例になるのではないかと思います。

日本がリーダーシップを発揮した「無形文化遺産保護条約」

「世界遺産の登録についてのさまざまな課題」（Ｐ97）でも触れますが、現在、世界遺産の登録案件や、その種類の内訳には、地域ごとに大きな偏りがあります。

世界遺産条約の採択や締約国の増加によって、欧米以外の地域の考古学遺跡、歴史的建造物や自然公園なども良く知られるようになり、「日本やアジアの木造建築などは、石の文化とは異なった修復に関する考え方を適用する」という議論に代表されるように、文化の多様性はまずは物質的に存在する場所や建物の分野で、国際的に認識されるようになりました。

世界遺産の登録対象はあくまで物理的な場やものであり、文化遺産の登録基準のひとつである第ⅵ項が、その場やものに付随する歴史的な意味や価値に言及しているものの、それはほかの基準を強化・補足する要素である（この項目だけでは世界遺産と認められない）ことは以前に述べました。

世界遺産条約の重要性が認識されると同時に、それだけではカバーできない文化の要素を大きく前面に押し出したのは、２００１年にユネスコが採択した「文化的多様性に関する世界宣言」でした。

それ以前から議論されてきた、グローバリゼーションがもたらす文化間の交流や情報交換による豊かさという長所とともに、形のないもの、すなわち言語、伝統的な知恵、社会の在り方、生活慣習、祭事、口頭伝承など、文化的アイデンティティの核をなすものが衰退することに対する危機感が強まり、これを防ごうという機運が高まってきました。

特に、アフリカや太平洋諸国など、豊かな無形文化を現在も生活慣習の一部とする地域では関心が高かったようです。

この流れの中で、多くの生活文化や伝統芸能を誇る日本や韓国が策定段階からリーダーシップを発揮して、２００３年、日本人の松浦晃一郎事務局長の時代に採択にこぎつけたのが、「無形文化遺産の保護に関する条約」（無形文化遺産保護条約）です。

日本は、条約が発効した２００６年から２００８年、及び２０１０年から２０１４年まで政府間委員会委員国を務め、２０１８年から２０２２年までの任期の委員国にも選出され、各審査にも積極的に関わっています。

日本は、世界遺産条約の批准にかけた時間とは対照的に、２００４年には早くもこの条約を批准しています。日本の無形遺産としては、能や歌舞伎、最近は和食も登録されています。

この条約によって、これまで世界遺産条約が保護対象としてきた有形の文化・自然遺産ではカバーしきれていなかった、あるいは補助的な役割しか与えられていなかった無形文化遺産を、国際的法規の枠組みの中で保護するシステムが成立しました。

口承による伝統及び表現、芸能、社会的慣習、儀式や祭礼行事、自然など森羅万象に関する知識や慣習、伝統工芸技術などの無形文化遺産について、締約国が目録を作成し、保護措置をとることと同時に、国際的にも「人類の代表的な無形文化遺産の一覧表」や「緊急に保護する必要がある無形文化遺産一覧表」の作成、国際的な援助などが定められています。

有形遺産と無形遺産の接点となった奈良の会議

無形文化遺産保護条約は、システムとしては世界遺産条約と似ている部分もあり、違う部分もあります。

共通点は、全締約国の構成する締約国会議により、選挙で選出される政府間委員会が設置され、条約履行のための指針や、「人類の無形文化遺産の代表的な一覧表」等の作成などを行う点です。

世界遺産条約と大きく違うところは、保全状態についてのモニタリングに関する点でしょう。世界遺産登録案件については前述の通り、保全に問題があると委員会に判断された場合、査察ミッションを含めたモニタリングシステムや危機遺産登録制度がありますが、無形遺産にはそのような制度はありません。

もう一つ、有形遺産と無形遺産の接点という観点から、大切なことがあります。現在でも世界遺産をはじめとする有形遺産の保護保全、修復に関してきわめて大きな影響力を持つ「オーセンティシティ（真正性）に関する奈良文書」[*2]という重要な文書が、奈良で行われた国際会議で1994年に採択されました。この会議そのものも日本の主導によるもので、それまでヨーロッパの修復哲学を基本としていた世界的潮流に、アジアやほかの地域的視点を組み込むという点で、大きな影響を与えたと評価されています。

この文書は、遺産保護理念のすべての基本とされているヴェニス憲章（1964年に採択）による遺産修復の考え方を、ヨーロッパ以外の文化の文脈から再考する重要な試みでした。

例えば、日本も含めたアジアの伝統建築は木造中心で、ヨーロッパの石の建築とは耐久性や技術などに異なる部分が多いです。このように、さまざまな文化や歴史の背景となっている自然、気候、精神性の差異を認めることによって、修復判断の可能性を大きく広げたものです。

このことは、ヴェニス憲章に代表されるこれまでの膨大な知見に敬意を表しつつ、最小限の介入を基本方針としてきた修復理念に代表される、特定の文化的価値や考え方の優越性を乗り越える可能性を示唆しています。

この文書の採択10周年となった2004年、私はユネスコ2年目の新米でしたが、これを記念する国際会議のコミッショナーとして、再び奈良で世界の専門家を集めて議論をする会議の主担当者になるという幸運に恵まれました。

しかし、この時目標にしていた「有形と無形の遺産の統合的保存修復を目指す」というテーマは、無形遺産のエキスパートたちから懐疑的な受け止め方をされた印象があります。私としては、有形遺産や無形遺産の枠組みを超えて、例えば日本の伝統的な寺社建築の保存には、何世紀も伝えられてきた修復技術などの無形的伝統は当然一緒に保存・保護されるべきであるというスタンスに立っていました。しかし、無形遺産が有形遺産の補助的な立場にあるような例を挙げること自体が、当時採択されたばかりの無形遺産の専門家たちには不本意のようでした。

むしろ有形遺産と無形遺産は全く異なる保存・存続のロジックを持ち、無形遺産は形あるものに依存しない。それゆえに独立した管理保存の必要性を主張することに、強い意欲を持っているようでした。

確かに、無形遺産として登録されている案件は、物質的な前提を必要とせず、人間の創造性のみによってたっている、と言えるものもあります。しかし、人間が自分の生まれ文化をはぐくんだ場所に大きな影響を与えられる生物である以上、全く物質的な背景を考慮せずに無形遺産を存続させることなど可能なのかという疑問もあります。

世界遺産とは異なるシステム「世界の記憶」

世界遺産とは全く別のシステムである「世界の記憶」は、世界遺産や無形遺産のような条約の枠組みを持たず、世界中の重要な記録文書類の保全を目的とするユネスコのプログラムの一つです。

2015年に中国により「南京虐殺の記録」が登録申請され、登録受理されたことで数年前から日本の世論も賑《にぎ》わすようになったことは、皆さんもご存じだと思います。

1992年、ユネスコ加盟国は、盗難、散逸、破壊や人材の不足などにより、危機的な状況にある文書や音声記録などの資産を「世界の記憶」として登録し、

- 最も適切な技術を用いて保存すること
- 加盟国におけるこのような資産に対する認識を高めること
- これらの資産に多くの人がアクセスできるようにすること

などを活動目標とすると決定しました。

登録審査は2年に1回行われ、1カ国からの申請は2件以内とされています。

このプログラムのために構成される国際諮問委員会（IAC）の勧告に基づき、ユネスコ事務局長が決定する国際登録のほか、「世界の記憶」アジア太平洋地域委員会（MOWCAP）等が決定する地域登録制度もあります。

この制度の本来の目的は、不動産や自然地域をカバーする世界遺産条約、無形の文化の表現をカバーする無形文化遺産保護条約が扱いきれていない、動産である文書記録の保全

でした。

2018年12月の時点で登録されている「世界の記憶」案件の数は527件。52%をヨーロッパと北米地域からの登録案件が占めています。トルコの「ボアズキョイのヒッタイト楔形文字粘土板」など歴史的な文字記録から、カンボジアのクメールルージュ時代の収容所が母体の「トゥール・スレン虐殺犯罪博物館の記録」、ポーランドのワルシャワのユダヤ人ゲットーの住人たちに関する「エマヌエル・リンゲルブルム文書」、オマーンの航海家アルカデュリーが残した航海案内書『マデ・アル・アスラル・フィ・エルム・アル・ベハル』の写本など、多種多様な記録が登録されています。

注目すべきは、イギリスも含めた7カ国が連名で登録した「1817年から1834年までのイギリス領カリブ海地域における奴隷の登録」など、歴史的遺恨があると思われる案件も過去に登録されていることです。

世界遺産や無形遺産の制度は、国際条約という法規の枠組みにのっとっているため、その運営や登録の指針には細かな規定があります。また、最終的な決定権限は事務局ではなく、締約国から構成される条約の委員国にあります。

「世界の記憶」プログラムに関しては、最近の問題の分析を通じて、制度的に改善の必要があることを、ユネスコの加盟国が認識しており、2018年に設立されたプログラムの作業部会やユネスコ執行委員会で議論が続けられています。

従来は、個人や団体も申請することができ、審査は14人の専門家からなる諮問委員会が非公開で行い、それに基づく登録勧告をユネスコ事務局長が追認するという流れでした。それを変更し、加盟国から申請された案件に関して異議があるかないかを確認する段階を設け、内容と史実について等の観点から異議のある場合は当該国同士の対話を推奨する、異議がない場合も最終的な承認は執行委員会が決定するなど、世界遺産条約に近いシステムを導入しようとしています。

2019年に行われた作業部会では同意に至らず、結果として、韓国が申請した慰安婦関連資料の登録審査は2017年以来凍結されたままになっていました。

2021年春のユネスコ執行委員会で、登録は加盟国で構成する執行委の承認制とする新制度が決定されました。登録申請の主体は各国政府となり、自治体や民間団体による直接申請は不可能となりました。各国が登録申請した段階で、ユネスコが加盟国に新たに登録申請された案件を提示し、最長90日間の間、他国の申請案件に異議があれば申し立てできるようになりました。

また、この異議が取り下げられない限り、審査には移行せず、関係国間の協議を無期限で行い、解決まで審査を保留するというシステムに変更されました。

２０１７年に韓国が申請し、登録判断を延期されている、旧日本軍による従軍慰安婦の被害を訴える資料については、この決定よりも以前に申請されているため、新体制は原則として適用されません。そのため、従来の手続きで審査するよう求める韓国と、新体制を踏まえた協議を重視する日本との間で、再び緊張感が高まる可能性もあります。双方納得のゆく結果になるよう、心から祈っています。

世界遺産の登録についてのさまざまな課題

世界遺産の登録状況には、多くの課題があります。まず、締約国であっても登録案件がない国が27カ国あります。

このような国は、開発途上国の中でも最貧国であったり、紛争や社会的発展の遅れのため登録案件の候補について詳述するための調査が行えていなかったり、登録に必須の条件である、登録後の保全修復に関する明確なコミットメントが行えなかったりする、というハンディキャップがあります。

このような国への支援は、喫緊の課題です。

また、自然遺産と文化遺産の数や種類に、地域によって大きな偏りがあることも課題のひとつです。

以下、各地域ごとに見ていきたいと思います。

アラブ地域は世界遺産の登録が最も少ない

アラブ地域は締約国が18カ国と少ないこともあり、全体で約8%と、世界遺産の登録案件が最も少ない地域です。

93件の登録案件のうち、文化遺産が84件、自然遺産が6件、複合遺産が3件と、自然遺産も極めて少ないことがわかります。また、アラブ諸国の登録世界遺産の24%（23件）が危機遺産にも指定されており、全世界の危機遺産の41%に当たります。アラブ地域はイスラエルとパレスティナ、シリア、リビア、イエメンなど、紛争地域も多く、予防的な保護保全やアラブ人の専門家育成が大きな課題です。

数年前、私は世界遺産の専門家としてではなく、ユネスコのミュージアムプログラムの主任として、危機遺産に指定されているエルサレムの「ハラム・アル・シャリフ（神殿の丘）」にある古文書センターと、イスラム博物館改装のプロジェクトを担当していました。

出張の際は、アル＝アクサ・モスクや岩のドームのあるこの区画に何度か入ることを許されました。エルサレム東部にあるこの一角は、三大宗教の聖地であり、ヨルダン王の行政管轄下にあり、イスラム教徒でない訪問者には別途の許可が必要になります。

私が最後にここを訪れたのは2015年のラマダンの時期で、旧市街のダマスカス門に徒歩で向かっていたところ、すぐ後ろでイスラエル警察によってパレスティナ人の男性が射殺される(実際にはその後病院に運ばれたと聞きました)事件に遭遇しました。人間の体から血が噴き出すところを初めて自分の目で見て、仕事を一緒にしていたパレスティナ人の人々もイスラエルの人々も、このような現実を毎日生きていることに今更ながら気づき愕然としたことを今でも覚えています。

パレスティナ側の責任者からは、「占領されたことがある国の出身のあなたなら、我々の気持ちもわかってもらえるだろうと思う」と言われ、戦争を知らない世代の自分が、本当の意味で彼らの気持ちを分かることができるのだろうか、と深く考えさせられました。

この一角に辿《たど》り着くには、エルサレム旧市街を取り巻く城壁にある門のひとつをくぐっていくことになりますが、その中に広がるのは、香ばしい食べ物の匂い、新鮮なザクロをしぼったジュースや日用品を売る小売店など、どこか懐かしい感じのする人々の日常の風景そのものです。

そして、ハラムの聖域に足を踏み入れれば誰もが、周囲で起こっている血なまぐさい紛争から一瞬にして心を洗われるような、なんとも言えない清らかな力を感じると思います。

この場に向けられてきた膨大な祈りが凝縮している感じとでも言いましょうか。青いモザイクの外壁と、しみひとつない金屋根のコントラストが神々しい岩のドーム、十字軍の本部になっていたこともあるアル＝アクサ・モスクの中はいつも、敬虔《けいけん》に静かに祈る多くの人々がいました。

ただし、この区域ではとりわけイスラム教徒としての厳格なルールを守る必要があります。私などは慣れないスカーフで覆った髪が少しだけ外に出ていたということで、衛兵に注意を受けました。こんなに厳しい女性の服装に関する戒律がありますが、そのころ一緒に働いていた古文書センターの数人の女性スタッフは、きれいなスカーフで髪を隠すおしゃれを楽しんでいるように見えました。皆、結婚して子供もいながら勤めを続ける女性たちでした。

また、アラビア半島のオマーンにある、ユニコーンのモデルになったともいわれる長い角が印象的なウシ科の動物であるアラビアオリックスの保護区は、2007年に登録から抹消されています。1994年にいったん世界遺産として登録されたものの、オマーン政府が油田などの資源開発のために保護区を10分の1に縮小したことと、生態系の保護・管理に消極的だったことから、世界遺産として初めて、登録が抹消されました。

危機遺産の25%がアフリカ

次に、登録案件全体の9%を占めるアフリカでは、締約国36カ国、総数１０３件のうち、文化遺産56件、自然遺産42件、複合遺産が5件です。

また、登録案件のその後のマネジメントの観点からも、アフリカの世界遺産の総数は、世界遺産全体の9%と少ないですが、世界全体で危機遺産として登録されている案件の25%にあたる14件をアフリカが占めており、保全状況の問題が大きいことがうかがわれます。

また、アフリカの自然・複合遺産の41%が危機遺産に認定されており、２０２０年末に発行されたＩＵＣＮのレポートによれば、58%において、保全状態が「かなり憂慮すべき状態」あるいは「危機的」と認定されています。

アフリカの世界遺産の保全・保護状態に対する大きな脅威は、狩猟や火災、外来種の繁茂や森林伐採とされています。

ラテンアメリカには有名な世界遺産も多いが

ラテンアメリカには全体の12%に当たる１４９件の案件があります。締約国33カ国、そのうち28カ国が登録案件を持っており、文化遺産１０３件、自然遺産38件、複合遺産が８

有名な世界遺産のひとつ、マチュピチュ遺跡（©UNESCO）

件です。

メキシコの古代都市チチェン・イッツァやペルーのマチュピチュ遺跡など有名な世界遺産も多い一方で、危機に瀕しているものも少なくありません。ペルーのチャン・チャン遺跡地帯は潮風などによる建材の劣化にさらされています。ベネズエラのコロとその港は豪雨による被害と周辺の開発が問題になっています。ホンジュラス　リオ・プラタノ生物圏保護区も密猟や違法伐採などにさらされており、危機遺産に挙げられています。

文化遺産としてはスペイン征服以前のマヤやアステカなど、古代文明遺跡や歴史的都市中心が有名です。ブラジルとアルゼンチンにまたがるイグアスの滝のような、雄大な自然遺産もよく知られていますね。

２０１４年に策定されたラテンアメリカとカリブ地域の10年計画には、人口増加に伴う歴史的都市中心のマネジメント、地域に多く見られるにもかかわらず世界遺産としての認定数の少ない文化的景観、また、観光客の集中する大規模な考古学遺跡や、そのほかの古代文明に関する史跡の保護保全が主要な課題とみなされています。

世界トップの登録数はイタリア

アジア太平洋は、ヨーロッパに次いで世界遺産の登録数の多い地域で、全体の約24％に当たる２８９の登録案件があります。その内訳は文化遺産２０５、自然遺産72、複合遺産12件です。特に登録案件数が多いのが世界第２位（２０２４年７月初旬）である中国（57件）に続きインド（42件）、日本（25件）です。

しかしやはり今のところ、ヨーロッパと北アメリカに５６５件の案件があり全体の約47％を占めています。毎年の登録案件の数もヨーロッパ・北アメリカとアジア太平洋地域が首位を占めている状況は２００７年からほぼ同じです。

国単体で登録を見ると、イタリアが59件で世界トップです。

2章　世界遺産はどのように選ばれ登録されるのか

白神山地とともに日本で初めて世界遺産に登録された屋久島（©alonfloc）

どのような流れで世界遺産は決まるのか

1章を読んでいただいて、では世界遺産はどのように登録されるのか、そもそもどのような条件を満たせば世界遺産と認められるのか、国内では優先順位をどのように決めているのか、と疑問に思われたことでしょう。

世界遺産に登録されるかどうかは、毎年6、7月ごろに開催される世界遺産委員会の委員国の判断によって決定されます。そこに至るまでには各国による準備段階が、少なくとも数年は設けられています。

世界遺産条約に関する基本事項は、条約本文に大綱が、そして「世界遺産条約履行のための作業指針」（以下「作業指針」）に具体的な用語の定義や手続きが詳述されています。この章ではできるだけわかりやすく解説したいと思います。

新規登録手続き――ギリギリで間に合わないという悲劇

まず毎年2月に書類の受付締め切りが設定されている、世界遺産の新規登録申請手続きから。

2月1日に設定されている新規登録推薦書類の締め切り前には、いくつかの騒ぎが持ち上がります。

書類の提出は、締約国責任者の自署のある原本でなければならないとされています。締約国は、自国からDHL（国際宅配便）で原本を送ってくる場合がありますが、ぎりぎりに送付された場合、関税の支払いを求められ、ユネスコの郵便部が立て替えをすることは制度上できないので、お持ち帰りになってしまい、運悪く週末をはさんで再配達が不可能で、提出日に結局間に合わなかったという悲劇が、何度か起こっています。

私も、立て替えをして受け取ってくれないかというお願いをされたことがあるのですが、個人的にはそうしたくとも、すべての締約国を平等に扱うという規則もあり行政上できないのです。心苦しいながら、パリにある締約国のユネスコ代表部に何とか解決をお願いすることになります。

ある締約国が、週末の間パリ郊外にあるDHLのオフィスへ出向き、引き渡しを交渉したこともありました。

ですので、ここ数年は余裕をもって、「できれば外交パウチで代表部へ送付し、代表部の外交官にお手ずから世界遺産センターまで持ってきていただけるようにするのが最も安全です」と事前にお知らせしています。

登録のサイクル――暫定リストにエントリー

さて、世界遺産登録のサイクルですが、本登録を申請するためには、まずは各国の「暫定リスト」(Tentative List) と呼ばれる一覧表に、その案件が正式にエントリーされている必要があります。

これはいわば、各締約国に対し、どの案件が緊急性が高いか、また登録条件に照らして優先順位が高いかをあらかじめ考慮し、十分に登録の見込みがあると思われる案件をプールし、本登録に進む準備を整えておいてもらうということです。

ですので、暫定リストの策定は、理想的には国内で地方行政や専門家、市民への幅広い調査や意見聴取を行ってもらい、候補案件が世界遺産として十分な価値を備えているかとともに、登録後もその価値を維持するために十分な人的・財政的準備が整っているかどうかを考慮することになります。

暫定リストは、随時変更や見直しが可能です。事務局は、委員会の勧告に基づき、締約国に最長でも10年ごとには見直しを行い、国内での議論を改めて行うことや、世界遺産リスト全体から見て増数の望ましいカテゴリーの案件を暫定リストに入れてもらうことをすすめています。

暫定リストにエントリーされてから、1年たたないと本申請はできないという規則があります。

例年2月1日の正式提出期日をにらんで、準備のタイミングを図ってもらうことになります。

暫定リストには、本申請書類同様にフォーマットがあり、案件の名称、地理的情報、簡単な説明、そして「顕著な普遍的価値」の概要を説明してもらうようになっています。本登録された案件は、当然ながら暫定リストからは外されます。

日本の暫定リストに何がエントリーされているか

さて、もう少し具体的に、日本の暫定リストを見てみましょう。近年、日本ではどのように扱ってきたのか、文化庁のウェブサイトを見るとともに、関係者にお話を伺ってみました。

日本が世界遺産条約を批准した当時は、政府主導で、日本を代表すると内外ともに問題なく認められると考えられた資産10件を、まずは暫定リストに登録しました。

このうち、「古都鎌倉」と「彦根城」以外の8件は、2000年の沖縄のグスクを最後にすべて世界遺産リストに登録されています。

その後、すでに登録されたもの以外で有力と考えられる文化遺産を、世界文化遺産に推薦する候補物件として選定しました。ここから暫定リストへの記載を行うため、学識経験者による協力者会議等を開催し、平成18年度（2006年度）及び平成19－20年度に、地方公共団体からの提案を受けて暫定リストの改定を行ったと報告されています。

平成18年度に地方公共団体から提出された公募案件の審査に関する報告では、「調査・審議の対象となる文化資産は、国内における文化財の総合的な保護を推進する観点から、原則として、種別を超えた国指定文化財を中心に、地域に独特の歴史・文化の様相を総体として示し、以て日本の歴史・文化の重要な一端を担っていると判断できるような連続性のあるものとした」と説明されています。

その結果、暫定リストに追加されたのは「富岡製糸場と絹産業遺産群」「富士山」「飛鳥・藤原の宮都とその関連資産群」「長崎の教会群とキリスト教関連遺産」の4件でした。

平成19－20年度の報告では、平成18年に「継続審議案件」とされた上記以外の20件の提案に関し、19年末を期限として再提案を受領しました。その中で、青森県と秋田県の提案が、北海道と岩手県を新たに含めて「北海道・北東北の縄文遺跡群」として再提案された

日本の世界遺産

※2024年6月時点

1	法隆寺地域の仏教建造物	奈良県	1993年	文化
2	姫路城	兵庫県	1993年	文化
3	屋久島	鹿児島県	1993年	自然
4	白神山地	青森県・秋田県	1993年	自然
5	古都京都の文化財 （京都市、宇治市、大津市）	京都府・滋賀県	1994年	文化
6	白川郷・五箇山の合掌造り集落	岐阜県・富山県	1995年	文化
7	原爆ドーム	広島県	1996年	文化
8	厳島神社	広島県	1996年	文化
9	古都奈良の文化財	奈良県	1998年	文化
10	日光の社寺	栃木県	1999年	文化
11	琉球王国のグスク及び関連遺産群	沖縄県	2000年	文化
12	紀伊山地の霊場と参詣道	三重県・奈良県 和歌山県	2004年	文化
13	知床	北海道	2005年	自然
14	石見銀山遺跡とその文化的景観	島根県	2007年	文化
15	小笠原諸島	東京都	2011年	自然
16	平泉―仏国土（浄土）を表す建築・ 庭園及び考古学的遺跡群―	岩手県	2011年	文化
17	富士山―信仰の対象と芸術の源泉―	山梨県・静岡県	2013年	文化
18	富岡製糸場と絹産業遺産群	群馬県	2014年	文化
19	明治日本の産業革命遺産 製鉄・製鋼、造船、石炭産業	福岡県・佐賀県 長崎県・熊本県 鹿児島県・山口県 岩手県・静岡県	2015年	文化
20	ル・コルビュジエの建築作品 ―近代建築運動への顕著な貢献― ※フランス・ドイツ・スイス・ベルギー・ アルゼンチン・インド	東京都	2016年	文化
21	「神宿る島」宗像・沖ノ島と関連遺産群	福岡県	2017年	文化
22	長崎と天草地方の潜伏キリシタン関連遺産	長崎県・熊本県	2018年	文化
23	百舌鳥・古市古墳群―古代日本の墳墓群―	大阪府	2019年	文化
24	奄美大島、徳之島、沖縄島北部及び西表島	鹿児島県・沖縄県	2021年	自然
25	北海道・北東北の縄文遺跡群	北海道・青森県 岩手県・秋田県	2021年	文化

ため、計19件の再提案となりました。

さらに、平成18年には間に合わなかった13件の新規提案を加え、合計32件の提案となりました。これらについて、調査・審議が行われたとあります。

専門的な審議を行うため、本委員会の下部組織として、専門分野ごとに4つのワーキンググループを設置し、5回ないし6回の会合を行うとともに提案した地方公共団体からの聞き取り調査を実施し、詳細な検討を行いました。その結果は、平成20年7月22日に開催された本委員会で報告されました。

このような状況を踏まえ、現在の日本の暫定リストは、平成28年（2016年）に改定されたものが最新の状況を反映しています。2021年、新しく地方自治体への登録案件推薦の呼びかけが始まりました。

越境連続遺産とは何か？

次に登録遺産の形態について。

国をベースとして考える場合、

- 一国が一案件を推薦するケース
- 一国の中でいくつかの資産を「連続資産（Serial Nomination）」として推薦するケース

●複数の国が単数あるいは複数の、国境を挟んで地理的に隣接する資産を越境資産として（Transboundary Nomination）、あるいは地理的に離れているいくつかの資産を連続資産として（Transboundary Serial Nomination）推薦するケースがあります。

作業指針135項には、「越境登録は、可能な限り、条約の第11・3条に従い、締約国によって共同で作成され、提出されるべきである。当該締約国は、越境資産を全体として管理監督するために、共同管理委員会または同様の機関を設立することを強く推奨される」とあります。

一方、越境連続遺産については、作業指針第137から139項に規定されています。必ずしも地理的に連続する必要はなく、関係するすべての締約国の同意を得て指名される異なる締約国の領土にあり、かつ明確な関連性を持つ資産の共同登録と定義されています。

日本にある越境連続遺産としては、産業遺産のところで説明した「ル・コルビュジエの建築作品―近代建築運動への顕著な貢献」があります。これはフランス、アルゼンチン、ドイツ、日本、ベルギー、インド、スイスの7カ国に、17の構成資産を有しています。

私が最近担当しているケースにも、越境遺産、つまり複数の国が申請する案件が多くあります。このような登録は、登録推薦案件がすべて未登録の場合、暫定リストのエントリー時点から、当該する締約国すべてが同じ内容の書類をもってエントリーをしないと、そもそも本申請の資格が認められません。

2カ国にまたがる世界遺産の問題点――ラオスとベトナムの場合

2カ国が登録を進めている例としては、東南アジアのラオスのヒンナムノ国立公園と、国境を挟んですでに世界遺産になっているベトナムの「ファンニャ＝ケバン国立公園」（1章冒頭で紹介しました）の例があります。

世界遺産委員会は、ファンニャ＝ケバン国立公園の登録当時から、ラオス側も合同で登録するように勧告してきました。このような自然地域は、前述したバングラデシュとインドにまたがるスンダルバンのマングローブ林（P59）のように、生態系としてのつながりがあるため、理想としては共同で管理運営してほしいというスタンスです。

ラオス側の自然公園を、すでに世界遺産になっているファンニャ＝ケバン国立公園の「延長」の形で合同申請し、同一資産として登録するためには、ラオス側が暫定リストにこの地域をエントリーするだけでなく、ベトナム側がそれに合意する書簡を発出して、越境資産として登録推薦することに同意しなければなりません。ラオスは当初からこの登録に積極的で、これについて、数年にわたって交渉が続いていますが、そもそもファンニャ＝ケバン国立公園の保存の難しさを痛感しているベトナム側は、弟分とみなしているらしいラオスからの要請に最大限の努力をもって対応したいという姿勢ですが、自国よりもさらに経済的人的資源に乏しいラオス側の地域まで追加されては、マネジメントのレベルを保てるのかという懸念があるようです。このことを、親しいベトナム高官からそれとなくお話しいただいたことがあります。

世界遺産委員会の勧告に従い越境遺産として登録されればベストですが、膠着《こうちゃく》状態がすでに10年以上続いているため、登録が遅れてしまうことによるデメリットもあると感じてきました。

ラオス側の自然公園の価値が明確である以上、遺産の保全を最優先事項と考えるならば、単独資産としてでもなるべく早く登録するのが良いのではないかと、個人的には思っていました。この原稿を書いている2024年の立春のころ、ベトナムがついに、越境資産登録を支持するという書簡を送ってくれました。これによって、共同登録へと大きく一歩、進む見通しとなりました。

越境遺産――シルクロードの場合

連続した地域が世界遺産として登録されている有名な例としては、アルゼンチンの「イグアス国立公園」（1984年登録）と、同名のブラジルの国立公園（1986年登録）があります。国境地帯にまたがる幅3キロ、80メートルの高さから落下する、イグアスの滝で有名です。こちらは、合同の登録には至らず、別個の登録案件となっています。

双方、かつてはもっと広大な地域をカバーしていた内部大西洋森林の名残であり、パラグアイ、アルゼンチン、ブラジルの国土が交差するイグアス川とパラナ川の合流地点に沿って広がっています。

両公園は、多様性とエンデミズム（風土性）を保つ半落葉性亜熱帯雨林で構成され、数多くの希少種が観察されています。今日では、登録地域の周囲は、大規模な森林伐採、小規模・産業化された農業利用、パルプと紙製造のための植林、農村集落の拡大などにより変容した景観に囲まれており、森林地域の保護が大きな課題になっています。地続きの生態系は、緩衝地帯が大きく断絶が少ないほど、適応性や抵抗力が高まることを踏まえ、両国の協力体制が望まれるところです。

アルゼンチンとブラジルの国境にまたがるイグアスの滝（©UNESCO）

すでに登録されている越境連続遺産の例を見てみましょう。中央アジア諸国はシルクロードを大きなテーマとして、いくつかの連続資産の登録を行っています。2014年に中国・キルギスタン・カザフスタンが文化遺産として合同登録した「シルクロード：長安天山回廊のルートネットワーク」は、広大なシルクロードのうち5000キロメートルをカバーする案件です。

漢・唐代の中国の首都である長安（現在の西安）から中央アジアの浙沢（カザフスタン南部の七河）地方まで広がっています。このルートは、紀元前2世紀から紀元前1世紀にかけて成立し、複数の文明をつなぎ、貿易、宗教、科学的知識、技術革新、文化的習慣、芸術活動などの広い分野にわたる交流を促進し16世紀まで使用され続けていました。

この道路網に含まれる33の資産には、いくつもの帝国や汗国の首都、宮殿、貿易集落、仏教の洞窟寺院、古道、飛脚通過点、狼煙塔、万里の長城のいくつかのセクション、要塞、墓や宗教的な建物などが含まれています。

現在、ウズベキスタンとタジキスタンが「シルクロード：ペンジケント・サマルカンド・ポイケント回廊」の登録を準備中です。

自然遺産の越境登録の例もあります。2016年、カザフスタン・キルギスタン・ウズベキスタンが合同登録した「西天山（ティエンシャン）」は、世界最大の山脈のひとつティエンシャン山岳システムの一部です。極めて豊かな生物多様性を持つ、標高700から4503メートルの範囲にわたっています。

現在世界で人工栽培される多くの果物の種の起源として世界的に重要であり、森林タイプやユニークな植物共同体を共有しています。

登録申請に見られるアンバランス

さて、少し回り道しましたが、暫定リストに掲載することは、フォーマットが整っていればそんなに難関ではありません。ここから本登録に向けてが正念場です。

本書執筆中の2024年2月、事務局は2025年に審査される37件の登録申請書類を受領しました。

そもそも、世界遺産条約採択後、中学高校の歴史の勉強で名前を覚えさせられたような知名度のある遺跡や場所が登録された後も、各国の世界遺産熱は冷めるどころか過熱の一方と言えます。

世界遺産委員会での勧告で、登録数をできるだけ厳選していこうと言われているにもかかわらず、毎年多くの登録申請があります。そして、現在では、諮問機関による登録延期や反対勧告にかかわらず、登録される例がほとんどとなっています。

世界遺産条約採択から22年後の1994年、世界遺産委員会は、世界遺産リストが「顕著な普遍的価値」を持つ世界の文化と自然の多様性を反映することを保証するため、「代表性、バランス、信用を兼ね備えた世界遺産リストのためのグローバルストラテジー」を採択しました。

このようなストラテジー（戦略）が採用されたのは、その時点ですでに世界遺産リストへの登録申請には、さまざまなアンバランスがあると認識されたからです。

1章の最後でも述べましたが、ここでの「アンバランス」とは、特に地域ごとの偏りと、資産のタイプの偏りです。

1994年の統計でみると、総数410の世界遺産のうち大部分は先進国、特にヨーロッパに所在し、また文化遺産は３０４件、自然遺産は90件で複合遺産は16件でした。前述したように、２０２４年5月時点ではこれが文化遺産９３３と自然遺産２２７、複合遺産39です。この割合をみると、問題は改善されたとは残念ながら言えないことがわかります。

このストラテジーには、当時世界遺産リストに含まれていないカテゴリーや地域からの登録を推進するため、締約国を増やすとともに、暫定リストの準備を支援するという明確な目的がありました。地球上の文化と自然双方で傑出した案件の全貌を反映できるようなバランスを達成するための、より詳細な枠組みと実践上の方法論を提示するということでした。

狭義な遺産の定義を乗り越え、人間と土地との共存、人間同士の文化間の交流、精神性や創造的表現などの非物質的な価値を顕著にあらわすような場所、という考えもこのときに付け加えられています。ここには、無形的な価値をより重視する傾向があらわれていたと思います。

このストラテジーの理由付けとして、ＩＣＯＭＯＳが１９８７年から１９９３年にわたって総合調査を行っています。それによれば、当時世界遺産リストにはヨーロッパ所在の資産、また歴史的都市や宗教的建造物、キリスト教関連資産、歴史時代や「特権階級の」建築物（これは、その土地固有の生活文化に根差した土着の建築物と対比させた意味で用いられていたようです）などが相対的に多く、反面生きている文化、伝統的文化に関する資産が少ないと指摘されています。

当時、まだ無形文化遺産が条約のカテゴリーとしては成立しておらず、世界遺産委員会でのこのような議論はその後の無形遺産条約採択への流れに無関係ではなかったのではと思います。

世界遺産委員会の「戦略」以降の10年でどう変わったか

10年後の2004年、世界遺産委員会はICOMOSとIUCNが地域、時間、地理、テーマごとに世界遺産リストと各国の暫定リストについて行った分析をベースに、10年間にどのような進歩があったかを分析しました。

ICOMOSによれば、文化遺産におけるこのようなアンバランスの原因は2つです。ひとつは、世界遺産の登録プロセスや文化遺産を管理保存することに関する構造的な問題、もうひとつは資産を特定、評価、評定する方法に関する質的な問題でした。

自然遺産に関するIUCNの調査によれば、当時世界遺産リストに登録されていた自然・複合遺産はほぼすべての地域と居住地域をカバーしており、それなりのバランスが認められます。その一方で、熱帯や温帯の草原、サヴァンナ、湖水システム、ツンドラや南極北極などの自然エリアが希少であると指摘しています。

1994年（締約国139カ国）から今日までに、締約国の数は56カ国増加しました。最も新しい締約国は2023年に加わった太平洋オセアニアの島嶼《とうしょ》国ツバルです。新しい締約国の多くが、太平洋の島嶼国、東欧、アフリカやアラブ地域の国であることは大きく評価されています。

また、当初はなかった暫定リストを作成する国も増加しました。文化的景観、文化的ルート、産業遺産、砂漠、沿岸や島嶼などの資産も登録されるようになりました。また、地域にフォーカスしてグローバルストラテジーを履行するための会議やテーマ別のイベントなども開催されています。

リストに不足しているカテゴリーの資産を優先し、地域的なアンバランスを改善するため、世界遺産委員会は最近、締約国が提出できる登録書類の数と、一回の会合で検討する新規登録案件の数を制限することを決定しました。

2024年時点で、登録状況の改善を目指す新しいワーキンググループは新たに議論を続けています。

候補の9割が認定される

暫定リストにエントリーされ、本登録の書類受領後、提案された案件は、その年の後半、文化遺産はICOMOS、自然遺産はIUCNという、世界遺産条約の諮問機関によって独立した審査を受けます。

現地への派遣ミッションの評価を軸にしたこの審査の結果、それぞれの諮問機関が、委員会に対し、候補案件についての評価を提出します。

ところで、世界遺産条約には3つの諮問機関があります。上記2つに加え、ローマに本部のある国際機関ICCROMです。

ICCROMはユネスコの初期に加盟国の要請によって生まれた、文化遺産に関する教育や訓練を専門に行う機関です。世界遺産の候補案件の審査には上記2つほどは関わりませんが、登録後の文化遺産や教育活動に関して専門家集団として積極的に関与しています。

さて、候補案件がノミネートされ、諮問機関の評価が提出されると、その評価に基づいて、世界遺産委員会は年に一度の会合（通常6月から7月にかけて3週間強続きます）で、その案件がリストに登録されるべきかを審査します。

通常、委員会によるこの審査は、案件の提出の翌年に行われます。委員会は、案件について結論を延期とし、追加情報を求めることもあります。ここ数年の印象では、9割以上が登録されています。

世界遺産に認められるための基準

リストに登録されるかどうかの審査の鍵は、推薦された案件が世界遺産として認められるための基準を満たしているかどうかです。

世界遺産登録の基準は、

- 全体的に見て「顕著な普遍的価値」があること
- 10個ある登録の具体的「基準」のうち少なくともひとつを満たすこと
- 「真正性」、「完全性」を証明し、保存管理体制が万全であること

などです。これらの基準については、条約の履行のための作業指針に詳しく説明されています。

「顕著な普遍的価値」について

「顕著な普遍的価値」(Outstanding Universal Value) とは何ぞや、と思われる方も多いと思います。世界遺産の登録に最も重要な要素とみなされ、登録後にはその維持が最大の課題

とされています。

これは、どのように定義されているのでしょうか。2023年に改定された最新版の「作業指針」では、「顕著な普遍的価値」とは、「現在および将来の人類の世代にとって共通の重要性ゆえに、国境の概念を超えるほどの例外的な文化的・自然的意義」と述べられています。

したがって、そのような価値を持つ遺産を恒久的に保護することが国際社会全体にとってきわめて重要であるということになります。1章で述べたように、世界遺産委員会は、世界遺産リストに登録されるにふさわしい案件について、10カ条の基準を定義しています。


世界遺産条約の締約国は、世界遺産に登録するにふさわしい「顕著な普遍的価値」を有するとみなされる文化的および／あるいは自然的価値を持つ案件を登録推薦案件として提出するよう要請されます。

世界遺産リストに登録された時点で、世界遺産委員会は、これ以降の保護と管理のための重要な参考となる、「顕著な普遍的価値についての声明」を採択します。ここで重要なのは、条約は、重要であり価値があると思われるあらゆる案件の保護ではなく、グローバルな観点から、これらの中で最も例外的と認められる資産を選択することを目的としています。

国や地域において重要な資産が、自動的に世界遺産に登録されるのではないということです。

また、委員会に推薦された案件に関する書類の中で、締約国は、普遍的価値を証明するのみならず、その持てる手段の範囲内で、該当遺産の保全のため、政策、法的、科学的、技術的、行政的および財政的に十全のコミットメントを示すことが必要です。

現在の指針の中に書かれている「顕著な普遍的価値についての声明」の義務化は、実は世界遺産条約の発効当時にはまだありませんでした。このため、初期に登録された世界遺産には、いまだにこの声明のないままのものがあります。

私が担当している案件でも、この声明を提出してくれるように働きかけているものがいくつもあります。この声明がなぜ大切かと言えば、どのような理由で世界遺産として登録されたかを明らかにすることによって、案件のその後の保全活用の重要な指針になるからです。

したがって、「顕著な普遍的価値の声明」は、必要に応じて締約国との協議、および諮問機関により、世界遺産委員会によって更新することができます。登録から長い年月が経過している場合、新たな学術研究や、その遺産の歴史的位置づけの変化などにより、普遍的価値が見直される場合もあります。

もしも、新しい普遍的価値の定義が地域的な拡張や、登録時に含まれていない要素を含む場合、登録地域の変更も必要になる場合があります。このような更新は、委員会会合で承認されれば、世界遺産条約局が自動的にデータベースの更新を行います。

スリランカの寺院はなぜ登録名称を変更したのか

最近私が担当した案件では、スリランカの「ランギリ・ダンブッラ石窟寺院」（1991年登録）が、登録名称を変更したという例があります。

登録地域は2200年にわたって巡礼地となってきた洞窟寺院を中心に、5つの聖域からなり、2100平方メートルの面積を占める仏教壁画と、157の彫像が重要な要素になっています。もともとは「ダンブッラ黄金寺院」の名称で登録されていました。

新しい名称「ランギリ・ダンブッラ石窟寺院」は、この世界遺産が5つの石窟寺院の神域に生き続ける信仰の象徴であることを、スリランカ当局が重要な価値として再認識したことが大きな理由です。紀元前3世紀以来、森林に居を構え暮らしていた仏僧の住居であったこれらの自然の洞窟が、南部および東南アジア地域で最大かつ最も目覚ましい仏教地域として存続する中で、寺院の内部や装飾に関して革新的なアプローチを示したことを、改定した「顕著な普遍的価値の声明」で示しています。

生きた仏教儀式、職人の伝統的技術により受け継がれてきた多色彫刻の意図的かつ微妙な配置による寺院の内部空間の区画、壁画の華麗さ、そしてこの石窟寺院がスリランカのみではなく、東南アジアと南アジアでも顕著な例であることが、改めて強調されています。

スリランカのこの例では、新しい声明は登録された時点での普遍的価値に関わる説明を根本的に変えるものではなく、したがって世界遺産委員会による新しい声明の受諾のみで、名称の変更が行われました。

このダンブッラ寺院への2023年の査察ミッションでは、長年考古学局と冷戦状態にあった寺院の実質的管理者である仏教組織の長である高僧にお会いして、懸念について話し合うことができました。

その際、遺跡の価値は目に見える仏像や壁画だけでなく、信仰の地、巡礼の地として2000年以上内外の仏教徒の方が訪れていることであるから、2つの要素をバランスよく保持していける方法を見つけられたら、とお話ししました。

そうしたところ、「その言葉が聞きたかった。巡礼者の気持ちや必要を無視した入場者数制限案など、保全至上主義のこれまでの考古学局のやり方では到底納得できない」と、

ダンブッラの石窟寺院（©UNESCO）

お答えをもらいました。

　スリランカは信仰の篤い仏教国ですから、お坊様や高僧に対する尊敬や畏怖はとても強いのです。考古学局にしてみれば、世界遺産委員会でやり玉に挙げられるのは保全修復の責任者である自分たちなのだから、言うことを聞いてもらえないだろうかという苦しい立場です。

　2023年の査察で、ある程度、当局関係者と信頼関係を結んだあとは、わたしの方もただ数多い提言をレポートの中で伝えるだけではなく、具体的に支援策を考えなければなりません。ここで資金もつけた支援を行えるかどうかで、その後の状況改善はまったく変わってくると言っても過言ではないでしょう。

ダンブッラ寺院には、オランダ信託基金による支援を取り付けて、現在洞窟寺院内での湿度その他のモニタリングと、ベースライン確保のための壁画の撮影、総覧の作成のためのプロジェクトを実施してもらっています。

登録に推薦される案件には、文化遺産で言えば宗教建築、寺院、考古学的な遺構などが多いとされています。

このような状況において、例えば同じ国のなかで仏教寺院を複数登録したい場合などには、その資産が、国内および国外にある年代や意匠が類似する世界遺産と、どのような相違があり、独自の価値があるのかということも説明する必要があります。

長崎の例で説明します（Ｐ１３４）。

登録審査の傾向と課題

ここまで、世界遺産の登録についての行政面と内容面での流れを説明しました。

近年、諮問機関が評価の際に疑義を呈し、追加情報の要求や登録延期を勧告した案件が、委員会会期中に世界遺産委員会委員国の支持により、勧告を覆す形で登録される事態が多く見られるようになりました。

これに関し、前述の作業指針の改定（P125）などを通じて、より信用性の高い登録システムにするための努力が続けられています。条約を改定することは大変な手続きが必要ですが、作業指針は時代を経るにつれて、条約の理念が新しい潮流に対応できるよう、改定作業が何度も行われました。

最近の改定のひとつに、2010年に導入された「アップストリームプロセス」と言われるものがあります。これは、登録推薦書類の準備に先立って、締約国への前倒しの支援が2015年に正式に登録のプロセスの一環として加えられたものです。

これにより、事務局と諮問機関は、書類が準備・提出される前段階において、締約国が推薦したい登録案件が果たして世界遺産リストに登録されるにふさわしい基準を満たしているか、さまざまな観点から分析し、締約国にアドバイスを行うことができるようになりました。

その背景には、基準やマネジメントの体制を備えていない案件が諮問機関の勧告を覆す形で登録されてしまうと、条約の信用性が落ちること、またのちのちその保存状況について、大きな負担が生じることになるからという懸念があります。

このシステムを利用するには、締約国から要請を行う必要があります。初期には試用運転されていましたが、締約国からの評価が大きく、また要請の数が増えたため、現在では登録の正式なプロセスの一部として認められました。2015年の世界遺産委員会の決定により、正式に作業指針の71と122を改定する形で付け加えられました。

また、登録候補案件について「事前評価」(Preliminary Assessment) を行い、さらに案件の世界遺産としての妥当性を精査する手続きが2027年からは義務となります。

「わが国にはほぼ寺院しかありません」

先に述べたように、世界遺産案件の種類のバランスを重んじるため、例えばアジアで言えば既にリストの中で比較的多くの案件がある仏教寺院などの考古学遺跡よりも、自然遺産や産業遺産、アジアのイスラム国であればモスクなど、ほかのタイプの遺産を優先してはどうかとアドバイスすることもあります。

こんなことがありました。アジアのある締約国から、次の登録候補は再び仏教寺院を加えたい、という意向が示されたので、そのカテゴリーではないものを優先的に考慮されてはいかがかという一般的な意見を述べたのです。それに対して、「あなたも知る通り、わが国にはほぼ寺院しかありません」というお答えをいただきました。

地域的な文化遺産の分布から言ってやむを得ないことでもあり、やはり締約国自身が重要と思うものを、登録し続ける状況はしばらく続くかと思います。

登録プロセスのハイライト「査察ミッション」と4種類の勧告

登録のプロセスの中で、ハイライトとなり、多くの国でメディアで報道されもする諮問機関による査察ミッションは、とても重要なステップです。どの国も、満を持して審査委員を迎えるようです。

例えば2021年、日本のメディアでは、2020年の9月に行われた、「北海道・北東北の縄文遺跡群」（北海道、青森、岩手、秋田）に関するＩＣＯＭＯＳの現地査察について、中間報告では推薦取り下げや内容の見直しにつながる大きな指摘はなかったことが報道され、委員会が近くなってくると地元での盛り上がりが高まっている様子がうかがわれました。

査察ミッションによる勧告は、「登録推薦」「登録不推薦」「情報照会」「登録延期」の4種に分かれます。

「情報照会」の勧告だった場合、特定の情報について付加した上で、3年以内の再提出が可能となります。

「登録延期」の勧告の場合、情報の付加以上に、抜本的な書類の見直しを求められます。しかし、登録不推薦でない以上、登録される価値が潜在的に存在すると判断されたということでもあると言えます。再提出がされた場合、もう一度査察ミッションが行われます。見直しの準備のため、締約国が、作業の中間で助言をもらうためのミッションを招くこともあります。

日本のケースでは、2006年に推薦された「石見銀山遺跡とその文化的景観」と「平泉―浄土思想を基調とする文化的景観」について、ICOMOSによる「登録延期」の勧告がありました。石見銀山は日本政府の強い後押しもあり2007年に登録されましたが、2011年に最終的に登録にこぎつけた「平泉―仏国土（浄土）を表す建築・庭園及び考古学的遺跡群」は、2回目の提出でも登録延期勧告が出されました。

普遍的価値についての証明を、浄土思想という概念中心に方向転換したため、登録推薦書類の大幅な書き直しが行われたと聞きます。結果として、最初の書類に含まれていた構成資産の半分ほどが削られましたが、今後、登録案件への追認の形で、日本側が含めることを希望する部分が、追加されることも可能かもしれません。

登録理由が大きく変わった「キリシタン関連遺産」

２０１８年に登録された「長崎と天草地方の潜伏キリシタン関連遺産」も、興味深い例です。日本側が認識していた普遍的価値と、ＩＣＯＭＯＳ側の見解が大きく相違した結果、当初予定されていた登録推薦資産や、説明にかなりの変化が加えられたのです。

日本側は、２０１５年に提出した最初の登録申請書類では、「長崎の教会群とキリスト教関連遺産」として、キリスト教会建築などに重きを置いた推薦書類を作成していました。しかし、登録の検証プロセスを通じて、最終的にはそうした可視的なエレメントよりも、世界的に特異性のある潜伏キリシタンの信仰生活にフォーカスした価値の証明へ思い切った変更を行っています。

ＩＣＯＭＯＳの査定のプロセスが進行中の翌２０１６年2月にいったん登録申請を取り下げ、2月から6月までＩＣＯＭＯＳから書類を再構成するための援助を受け、翌２０１7年の2月に、修正した書類を再提出しました。

この年の9月に、再度ＩＣＯＭＯＳのミッションが訪日し、２０１８年の2月に至るまで、何度か追加情報が日本からＩＣＯＭＯＳに提出されています。登録資産は10の村落地域、ひとつの城、そしてひとつの大聖堂という、17世紀から19世紀の間に成立した12の要素で構成されています。これらの要素は、日本とキリスト教の邂逅《かいこう》、１６３７年のキリスト教禁止令による信仰と信者の迫害の時代、そして１８７３年の禁止解除後のキリスト教共同体の活性化の最終段階を含む、日本におけるキリスト教宣教師と信者の最も初期の活動を反映する、4つの歴史的時期を反映するものとして選ばれています。

推薦される案件が、類似の世界遺産と比べてどのように傑出した価値があるかを述べる比較証明の部分に、この登録案件の特異性があらわれていると思います。

- ほかの国の遺産、特に宗教的抑圧に直接関連するものとの比較
- アジア諸国におけるキリスト教受容の歴史の比較
- 日本全土の隠れキリシタンゆかりの地との比較（17世紀後半～19世紀前半まで）
- 長崎地方の隠れキリシタンゆかりの村落との比較
- キリスト教の解禁に続く段階で長崎地域の村に建てられたカトリック教会との比較

という5つの要素が、日本側によって示されています。まず、世界的に見て、比較に引用された他の10の世界遺産はすべて、長崎とは歴史的背景が異なるとされています。レバノンの「ワディ・カディシャ（聖なる谷）と神の杉の森（ホルシュ・アルツ・エル・ラブ）」の2つの案件、トルコの「ギョレメ国立公園とカッパドキアの岩場」などとは、キリスト教徒が宗教的弾圧から隠れながら信仰を保っていたという点で確かに類似点があると認めています。

しかし、長崎のケースでは、キリスト教徒が物理的に外の世界から身を隠したのではな

長崎県の江上天主堂
（出典: kiyoojapan）

く、社会的には仏教徒・神道者としてふるまいながら信仰を継続していたという点で本質的に異なっているという点を、日本側は前面に押し出しています。

他のアジア諸国とキリスト教の受け入れの歴史との比較では、日本においてのみ、宣教師の完全な不在と2世紀にわたる禁教にもかかわらず、複数の世代を通じて密かにキリスト教信仰を受け継いだ独自性があると主張しています。さらに、日本での禁教は、他のどのアジア諸国よりも長く、より厳しかったことが指摘されました。日本国内の同様のキリスト教ゆかりの地と比較すると、日本全国の潜伏キリシタン共同体は、長崎以外では禁教令により18世紀を通じて徐々に組織として弱体化したという考えを示し、長崎地域の全２１４の潜伏キリシタン村落の中で、登録書類に含まれた10の地域は、優れた普遍的価値への貢献と、実施中の保護措置の状態からみてふさわしいことを示しています。

最後に、長崎地域に存在する73のカトリック教会については、宗教アイデンティティの遷移を着実にあらわす点、真正性、保護措置の状態の観点から、江上《えがみ》天主堂（奈留島《なるしま》の江上集落）などが代表的な例であると考えられています。ＩＣＯＭＯＳは、これらの比較証明が論理的にこの案件の特異性を証明しているとして評価しました。

ＩＣＯＭＯＳはまた、数世代にわたって、潜伏キリシタンゆかりの儀式、特に神聖なオブジェの礼拝に関連するものの減少と消滅があったと指摘する一方、それにもかかわらず、資産の構成要素である場所そのものと地元の人々の精神的感情的な結びつき、教会、神域、いくつかの墓地、農地、聖なるものとされるオブジェが地元の人々によって大切にされ続けていることを、真正性の保証として挙げています。

世界遺産における「真正性」「完全性」とは？

ではこの「真正性」、さらに「完全性」とはそもそもどんなことを指すのか、見ていきたいと思います。[*3]

真正性（Authenticity）

世界遺産条約作業指針の79項以降に説明のある「真正性」とは、文化遺産のみに求められる条件です。
真正性に関して、文化庁の「世界遺産関係用語集」では、次のように説明しています。

「文化遺産の種類、その文化的文脈によって一様ではないが、資産の文化的価値が、下に示すような多様な属性における表現において真実かつ信用性を有する場合に、真正性の条件を満たしていると考えられ得る。

形状、意匠
材料、材質
用途、機能
伝統、技能、管理体制
位置、セッティング
言語その他の無形遺産
精神、感性
その他の内部要素、外部要素」

「真正性」とは、文化遺産の形状、材料、材質などがオリジナルな状態を維持していることとをいう、と説明しているサイトもあります。
作業指針の付記には、先に触れた「奈良文書」（P91）が含まれ、真正性の定義について、次のように説明しています。

「ある文化遺産に内在する価値を理解するためには、その価値に関する情報源がそれほど信用性と真実性を備えているかが重要であるため、文化遺産のもともとの、そして経年による特徴の変化に関する、また時間によって蓄積された意義に関係する情報源についての知識と理解が、真正性のあらゆる側面を評価するために必要とされる。
それぞれの文化は、またその文化の内部でも、文化遺産の価値についての評価の仕方は異なっており、それに関する情報源の信用性も異なる。しかし、あらゆる文化は等しく尊重されるべきであることに鑑みて、文化遺産の価値に関する検討と価値判断は、第一に遺産が属する文化的文脈において行われるべきである。

真正性の条件として精神性や感性といった属性を適用するのは簡単なことではないが、例として、伝統や文化的連続性を保持している共同体においては、これらの属性はその土地の特徴や土地性を表す重要な指標となる。

これらの情報源（文化遺産の本質、特異性、意味及び歴史を知ることを可能にする物理的存在、文書、口述伝承、表象的存在のすべて）を利用すれば、検討対象となる文化遺産に特有の芸術的・歴史的・社会的・科学的側面について詳述することが可能になる。「情報源」は、文化遺産の性質、特異性、意味、歴史を知ることを可能にするすべての物理的資料、叙述資料、口頭伝承、比喩的な情報源と定義される。

資産の登録推薦書を作成するうえで真正性の条件を考慮するため、締約国はまず該当しうる真正性の属性をすべて特定する必要があり、真正性の宣言の箇所で、これら重要な属性のそれぞれにどの程度の真正性があるか、または表現されているかを評価する必要がある。」

首里城火災と再建の際に議論された「真正性」

真正性に関して、「考古学遺跡や歴史的建造物、歴史的地区を再建することが正当化されるのは例外的な場合に限られる。再建は完全かつ詳細な資料に基づいて行われた場合のみ許容され得るものであり、そこに推測による余地はあってはならない」とされています。

最近の沖縄の例から、具体的に考えたいと思います。

2019年10月31日の未明、2000年に登録された沖縄の世界遺産「琉球王国のグスク及び関連遺産群」は、出火により、登録範囲に含まれる主要な建物である正殿や北殿、南殿などが全焼しました。この日、時差があったため私には真夜中過ぎに第一報がありました。

この重大な損失に関して、日本の文部科学省から、当時の次官が数日後にはパリに出張に来られ、世界遺産センターと、被害状況の把握とこの先の協力体制についての協議を行いました。

その際に日本側は、「火災によって世界遺産としての価値が失われた」という見解が出されることに、大きな危惧を抱いているとのことでした。ロスラー前センター長と私とで、登録の状況などを見直しました。

結論から言うと、「焼失した建物は第二次世界大戦以降にさまざまな歴史資料に基づいてすでに再建されたものである。指針86項にいうような真正性の条件を満たした再建造物であることが認められたから登録されたのであり、日本政府はこれらの建造物の再びの復元を計画している。また、地表に出ていない遺構の部分に、歴史的文化財としての価値が認められていること、登録名称が示すように、登録された遺産は複数の構成資産からなっているゆえに、これら一部の建物の焼失によって、世界遺産としての価値が失われることはないというのが事務局の見解です」とお答えしました。

日本の当局の方々と、再建の方針や災害対策などを含め、現地で意見交換を行うため、日本へのユネスコの緊急ミッションが予定されていました。しかしコロナ禍のため延期となり、実際に派遣されたのは23年夏前でした。

私は日本人であるため、出身国である日本の世界遺産の査察に関わるミッションには、原則として行くことができません。国際公務員の倫理規程に基づく、中立性の堅持のためです。残念に思っています。

首里城の復元工事が、2019年3月に全て完了して間もない時期の火災であり、関係者のご心痛を想像すると言葉もありません。

再びの復元にはおそらく、長い年月がかかることと思いますが、世界遺産としての価値を維持するため、歴史資料に基づいた工事を進めていただくとともに、災害予防の対策を、どの世界遺産でも見直し強化していただくことが大切と考えます。

完全性（Integrity）

文化遺産のみに求められる真正性と異なり、完全性は文化遺産・自然遺産として登録推薦されるすべての資産に求められる条件です。

世界遺産として認められるための「顕著な普遍的価値」を構成するために必要な要素が全て含まれており、長期的な保護のための法律などの体制も整えられていることを指します。完全性は、自然・文化遺産とそれらの特質のすべてが、損なわれることなく包含されている度合いを評価する基準なので、当該資産が以下の条件をどのくらい満たしているかを評価し、説明する必要があると述べられています。

a）顕著な普遍的価値が発揮されるのに必要な要素がすべて含まれているか。

b）当該資産の重要性を示す特徴を不足なく代表するために適切な大きさが確保されているか。

c）開発及び／又は管理放棄による負の影響を受けているか。

文化遺産については、登録される資産の物理的構造及びあるいはその重要な特徴が良好な状態にあり、劣化の進行による影響が管理されていること、また資産が有する価値の総体をあらわすのに必要な要素が相当な割合で包含されていること、文化的景観及び歴史的町並みその他の生きた資産については、これらの独自性を特徴づけている関係性や動的な機能が維持されていること、と説明されています。

自然遺産については、生物物理学的な過程及び地形上の特徴が比較的無傷であること、ということが大前提ですが、いかなる場所も完全な原生地域ではなく、自然地域は全て動的なもので、ある程度人間との関わりが介在するため、「伝統的社会や地域のコミュニティーを含めて、しばしば自然地域内で行われる人間活動も生態学的に持続可能なものであれば、当該地域の顕著な普遍的価値と両立し得る」と述べられています（90項）。

以上に加えて、自然遺産については基準ごとに完全性の条件が定義されています（91項）。これらは主に、自然景観の美に関する基準（vii）について、例えば滝であればその自然景観の美的価値に結び付いた隣接集水域や下流域を包括していること、地形や地質に関する基準（viii）であれば「氷河期」に起因する雪原、氷河そのもの及び氷食形状、堆積、棲みつきのサンプル（例えば、条線、モレーン、植物遷移の初期段階等）を包含していること、火山であれば溶岩起源鉱物の完全な変形シリーズが残っており、噴出岩の種類や噴火の種類の全て又は大部分が代表されていること、などと詳細に例が挙げられています。

生態系に関する基準（ix）を登録に使うのであれば、その生態系及びそこに含まれる生物多様性を長期的に保全するために不可欠なプロセスの鍵となる要素を機能させるに十分な大きさをもち、必要な要素を包含すること、例えば、熱帯雨林地域では、ある程度の標高変化、地形・土壌型の変化があり、パッチ（森林の中の区画を意味する専門用語）の系及びパッチの自然再生が見られること、サンゴ礁であれば、例えば海草やマングローブ、又はサンゴ礁への栄養塩や堆積物の流入を制御するその他近隣生態系を包含すること。生物多様性に関する基準（x）によって登録を希望するならば、生物学的に見て、最も多様性・代表性の高い資産であり、関係する生物地理区、生態系の特徴を示す動植物相の多様性を最大限維持するための生息環境を包含していること、熱帯サバンナの場合であれば、共進化した草食動物と植物の組み合わせが完全に残っていること、島嶼生態系の場合であれば、固有の生物相を維持するための生息環境を包含していること、広い生息域をもつ種を含む場合は、当該種の生存可能個体群サイズを確保するために不可欠な生息環境を包含するのに十分な大きさがあること、さらに、渡りの習性をもつ生物種を含む地域の場合は、繁殖地、営巣地、判明している渡りのルートが適切に保護されていることなどです。

管理体制が万全かどうかは大事な検討材料

世界遺産の登録の真の目的とは、人類共通の財産として登録された遺産を守るシステムを強化し、維持することであると1章で述べました。

そのため、登録時に、該当遺産に普遍的価値があることに加え、その管理体制が万全であることは非常に重要な検討対象となります。

登録推薦の書類には、普遍的価値の維持を保証するための保存管理の姿勢についての記入が求められます。この部分では、全体的な保存管理の枠組みと、その資産に固有の、長期間で見た保存管理の課題事項を特定することが要求されます。

具体的には、普遍的価値を有する遺産の属性を保全し、その資産に固有の危険要素（地震、洪水、気候変動など）について対処する体制についても網羅する管理計画書（既に存在するか、起案予定であるもの）など、資産の保存管理に必要なメカニズムについて詳述しなければなりません。

文化や遺産に関する法的な規制が機能しているかも、当然ながら重要視されます。管理に当たる主要機関のみならず、その他の関係省庁や、住民、遺産の保全に重要なかかわりを持つ共同体との連携などがどのように整えられているのかも重要です。管理機関に十分な人的資本や予算が配分されているのか、遺産の価値を説明する設備はあるのか、モニタリング体制はどうか、なども考慮されます。

前述した真正性や完全性を脅かす要素が特定されている場合は、それにどのように対処していく戦略があるのか、遺産にダメージを及ぼす可能性のある変化を回避するための方法などをあらかじめ整えておく必要があります。

書類のこの部分は、登録推薦をする締約国がどれだけ真剣に準備体制を整え、世界遺産となる遺産を保全し続ける姿勢を見せているかが量られる大切な要素です。

管理体制が万全でない遺産は、体制の見直しを勧告される可能性もあります。

管理当局が存在しなかったが登録された例外的存在——アンコール遺跡

しかし、1992年に登録されたカンボジアのアンコール遺跡は、例外的に、当初まだ内戦終了直後で正式に管理当局が存在しなかったにもかかわらず、遺産保護の喫緊性に鑑みて登録されました。

400平方キロメートルの広さに及ぶ登録地域に、9世紀から15世紀に至るクメール文明の粋《すい》である多数の寺院が散在するアンコールは、19世紀末に、主にフランス極東学院が遺跡の発掘や記録を行い始めました。今日もなお研究や修復の基礎になるほどの成果をあげてきましたが、ベトナム戦争の余波による被害、続く1976年以降のクメールルージュと通称されたポルポト政権によるカンボジアでの極端な共産化体制による大量虐殺、ベトナムによる進軍など、国土が戦場化する状態の中で、大きな危機的状況に陥りました。

遺跡周辺にも地雷が埋められ、人が訪れることも不可能な時期がありました。

アンコール遺跡は、百以上の寺院に加え、豊かな森林、クメール王朝時代に築かれた水流設備（流域、堤防、貯水池、運河など）、王道などの道路を主な構成資産としています。複数の王朝が首都としたアンコールには、アンコールワット、バイヨン、プリア・カン、タ・プローム、バンテアイスレイなど、歴代の王たちが競うように多種多様な建築様式、資材を使って建立した寺院が存在します。

ヒンドゥー寺院を主流としながらも、仏教を信仰したジャヤヴァルマン7世による仏教建築も見られ、自然地形と寺院、治水設備など人工物が一体となって、宗教的世界観を地上に体現するために展開される圧倒的な遺跡群です。

最盛期には、現在の東南アジアの多くの地域を支配下におさめていたクメール王朝の遺跡は、同じく世界遺産になっているアンコール期以前のクメール系王朝の建立によるラオスの「ワット・プー寺院とチャンパサックの自然景観」、同じカンボジアの「プレアヴィヒア寺院」、「サンボール・プレイ・クック」、そして2023年に登録された「コー・ケール遺跡」なども併せて訪れることにより、文明像についてより深い理解を得られると思います。

その芸術的表現には、インド亜大陸が源流であるヒンドゥー教や仏教の建築や図像学を下敷きに、明らかにクメール人による独自の発展がみられること、広大な地域の文化表現に影響を与えたことなども、普遍的価値を持つと認められるゆえんです。

この遺跡のもう一つの魅力は、登録地域の中心部分に、アンコール時代から存続されるとする村落が多く残り、居住が続いていることです。

一帯が稲作を中心とする農業地帯でもあり、登録地域とその外周部にも、伝統的な季節行事や食文化に彩られた人々の生活が根付いています。駆け足の滞在でなく、時間をかけた旅行であれば垣間《かいま》見ることのできるこの無形文化も、アンコールの隠れた価値の一つだと思います。

遺跡に隣接するシエムリアップの街が、観光の拠点となります。カンボジア国王陛下の宮殿もあり、瀟洒《しょうしゃ》な植民地時代の建物と、パゴダや仏教寺院が林立する美しい街です。

町の中央にならぶ高級ホテルから、民家への滞在まで、バラエティーに富んだ滞在経験

アンコール遺跡のタ・プローム寺院（©UNESCO）

ができると思います。町から遺跡までは、トゥクトゥクと呼ばれる自動三輪車で行くのがおすすめです。外の空気に触れながら、深い森を抜けたさきに、アンコールワットの雄大な寺院尖塔が目の前に開けてくる瞬間は、何度訪れても変わらない感慨を呼び起こしてくれます。

また、絹織物や木で作られた手工業製品、服、スカーフ、クロマーと呼ばれる格子柄の布地、オーガニックのコーヒー、お茶、バス用品など、シエムリアップの街には洗練されたものから素朴なものまで、ショッピングスポットが溢れかえっています。疲れたら、街からホテルに戻る途中、フォーリン・コレスポンデンス・センターの白亜の吹き抜けのテラスで、冷たい飲み物をいただいて一休みするのが私の滞在中の日課になっていました。

アンコール遺跡と日本の深い関係

ご存じの方もいらっしゃると思いますが、アンコールは日本とは大変縁の深い世界遺産です。政府当局の方はもちろん、街中の人々も日本への親近感が大きいことを感じます。

1991年、パリ協定がカンボジア内戦に終止符を打ったあと、1993年には、東京で、アンコール救済国際調整委員会の第1回政府間会合が開かれました。この時から、旧宗主国のフランスと、日本が共同議長を、ユネスコが事務局を務める形で、実に30年も、毎年2回の会合が開かれてきました。広大なアンコール遺跡公園における修復や開発案件が、委員会に専属の専門家たちによって慎重に検討されています。これは、世界でも例を見ないケースで、ユネスコの数ある世界遺産支援キャンペーンの中でも最も長く成功したモデルと言われ続けています。

また、ユネスコ日本政府信託基金の最初の援助案件は、アンコールでした。早稲田大学の中川武先生、上智大学の石澤良昭先生が、日本の専門家として、長年関わられ、多くのカンボジアの専門家を育てることにより、日本とカンボジアの文化外交を力強く支えてきてくださいました。

世界遺産登録後、1995年に誕生したアンコールの保存修復を担う「APSARA機構」は、今では500人以上のスタッフを持つ大きなマネジメント組織に成長しました。

私と同世代の現在の局長を含め、私にとってはユネスコに入った当時から、毎年の国際調整委員会の会合、日本信託基金事業の調整、ミュージアム支援プログラムを通じて、20年も関わってきた方々です。

2000年初頭、国内ではクメールルージュ時代の粛清で、多くの建築家、考古学者、歴史家が命を落とされたこともあり、後進世代はまだやっと大学を卒業したばかり、という状態でした。遺跡の調査も修復も、実績のあるフランスを筆頭に、外国の修復機関が肩代わりしている感じでした。

若いクメール人の専門家を育て、クメール人によってアンコールを保存していってほしいという多くの人々の長年の願いが、いよいよ実り始めたと実感しています。

3章　世界遺産のメリットとデメリット

パキスタン・マクリ遺跡の遠景

世界遺産と持続可能な開発目標（ＳＤＧｓ）

世界遺産委員会は２０１５年、「条約プロセスに持続可能な開発の展望を組み込むための政策」を採択しました[*4]。同年、国際社会は２０３０年に向けた新たな持続可能な開発目標（ＳＤＧｓ）を策定しました。その中に文化・自然遺産の保全も含まれていることは、すでに述べました（Ｐ34）。これをうけて、世界遺産条約の履行《りこう》を通じ、締約国、遺跡保存に関わる専門家や組織、共同体とともに、世界遺産の潜在的な力をよりよく活かし、持続可能な開発に貢献するためには何が必要なのかという指針が示されています。

特に、人権、平等性、長期的視点でみた持続性の3点が、世界遺産条約が持続可能な開発に貢献する上で重要なポイントとされています。世界遺産の保全と管理が、環境、社会、経済、文化的な権利を奨励するものであること、そして今ある不平等の是正のみならず、その構造的原因である差別や疎外を減らすことに貢献すべきこと、最後に、世界遺産に関するあらゆる決定のプロセスは、長期的展望に基づいてなされること、とされています。

1章でも述べましたが、世界遺産の長期にわたる保全と、社会に必要とされる開発を調和させるためのガバナンスを強化することは、大きな課題です。

世界遺産に登録された資産や場所は、大きな経済的社会的資源であるとともに、自然そのものと同じく、それが我々にもたらしてくれる恩恵が持続するように、留意しなければならないからです。

現在、委員会での保全状況についての議論で最も問題になるのは、開発案件が世界遺産の普遍的価値に及ぼす影響です。

建設工事、サービスインフラ、観光業などによる社会経済的な遺産の利用、土地の使用目的の変更による生物資源の変容などが与える影響が、特に重要とみなされています。ダム、道路、空港、トンネルなどの建設もよく問題になります。

問題になるケースに頻繁にみられるのは、開発案件そのものに加え、全体的なマネジメントの脆弱《ぜいじゃく》さ、また、開発案件が遺産に及ぼす影響評価の実施を必須とするための法的な規制が整っていないことです。

2016年の世界遺産委員会全体決議[*5]は、開発プロジェクトによって潜在的に脅かされている遺産の大半においては、IUCNやICOMOSのガイドラインにのっとった「遺跡への影響評価」が実施されていないという事実に対して、憂慮を表明しました。

開発案件が遺産の普遍的価値に及ぼす直接・間接・累積的な影響について、遺産の種類にかかわらず、また世界遺産の登録地域（コアゾーン）や緩衝地帯（バッファゾーン）のみならず、その付近で大規模な開発計画を策定する場合、その潜在的な影響と危険度をあらかじめ詳細な調査によって明らかにし、必要な対策を万全に講じることが、作業指針１１８ｂｉｓによって求められています。

本来、このような影響評価は国内で適用される法制にのっとってデフォルトで実施されることが望ましいです。しかし、多くの締約国は、世界遺産付近での開発案件の影響評価に関する法制を整備していません。また、この決議では、条約６条に基づき、開発案件が施行される締約国のみならず、ほかの締約国の領土内にある世界遺産をおびやかす可能性のある開発案件に関わる場合、関係する第三国も、施行する前に影響評価の実施に協力するよう要請されています。

ダム・水力発電開発と世界遺産

影響評価に関する上記と同じ決議の中で、世界遺産委員会は、増加する世界遺産付近でのダムや採掘産業についての警告を行っています。

世界遺産の登録地域内における、大規模な貯水槽を備えたダム開発は、その環境への潜在的影響から、世界遺産の保護保全の趣旨とは相容れないという見解を示しています。そして、ダム建設予定地の川の上流下流に位置する世界遺産に対するインパクトを、厳格に評価するよう要請しています。

採掘産業については、特に文化遺産に対する影響を懸念すると同時に、2015年に英国のTullow Oilが、2016年に建設材の会社であるCEMEXが、世界遺産地域での事業は行わない原則（no-go principle）を表明したことを評価しています。

Tullow Oilは、ケニアのトゥルカナ国立公園の一部にまたがる地域での炭化水素採掘権を獲得していたのですが、これを放棄すること、またその他の地域でも保護区域に指定されているエリアでの活動について、影響評価を必須とすることを約束してくれました。

2016年の時点で、多くの自然遺産が採油、ガス、鉱山開発などに脅かされていることが報告されています。Shell やTotal、HSBC、JPモルガンなども、すでに世界遺産を脅かす事業を支持しないというコミットメントをしています。

ラオスのダム開発と世界遺産の複雑な関係

ダムに関しての事例として、最近私が関わっている例をご紹介します。

2020年の春に、ラオスの古都ルアンパバーンの付近、メコン川の上流25キロメートルの至近距離に、新しい水力発電施設を建設するという情報が、メディアや第三者からの通報でわかりました。

貯水池式ではなく自流式ダムですが、メコン川周辺の多国間に影響のある案件について調整を行うことを目的としたメコン川国際委員会はこのダムを、ラオスのダム建設の国内基準に照らしても最も危険度の高い施設と指定しています。我々事務局も、ラオス側との対話に乗り出しました。

東南アジアの観光地の中でも人気の高いルアンパバーンは、ラオスの北部の山岳地帯に位置し、メコン川とナムカン川に挟まれた半島に建設された古い美しい街です。山に囲まれているため、緑が多く、いたる所に仏教寺院や仏塔があり、そぞろ歩くと橙色の法衣のお坊さんたちと頻繁にすれ違い、なぜかほっとするような懐かしい空気に包まれます。

14世紀から16世紀にかけては、栄華を誇ったラーンサーン王朝（百万頭の象の王国）の首都でもありました。

シルクロードの途上にあるこの都市は、この地方の仏教の中心都市でもありました。しかし、1893年にフランスの保護領となり、1946年にヴィエンチャンが行政上の首都となるまで、3つに分割された王国領の中心の一つでした。

この町の都市建築と形態は、ラオスの伝統的な木造都市建築と、植民地の香りのする平

ルアンパバーンに16世紀にたてられたワット・シエントーン
(©UNESCO)

屋や二階建ての煉瓦《れんが》建築のエレメントとが重層的に共存しており、半島部分には王政時代の邸宅や仏教寺院が並びます。東南アジアでも最も洗練されているといわれる彫刻、絵画、金細工や家具など、仏教寺院の内外の装飾も見どころです。

中でも、半島の一番先端部分に鎮座する16世紀に建てられたワット・シエントーンは、ルアンパバーン様式と言われる湾曲した重層の屋根の複雑な形態が特徴的です。ラオスで最も美しい仏教建築とも言われています。

町のもうひとつの魅力は、仏教信仰の中心としての静謐《せいひつ》さと、毎朝の仏僧の方々のおつとめの風景、また、蛇神ナーガやその他の霊を祭る儀式をはじめ、地域の伝統に根付いた暮らしぶりでしょう。

しかし、観光地化によって、こういった伝統的なルーティーンや町の雰囲気も、外から訪れる人々のマナー次第で変容していくのかもしれないと思います。私が以前出張で街を訪れたときも、街中で上半身裸だったり、大声で話したりする観光客が目立ちました。当局は、世界遺産としての品位を保てるように、外部からのお客さんのマナーについてのガイドラインを奨励しています。

ラオスでは、2018年にダムの決壊事故で多くの人命が失われています。ルアンパバーンのダム建設は、メコン川国際委員会の調整の下、ラオス政府が2019年に案を提出し、タイ、ベトナム、カンボジアなどメコン川流域で直接利害関係のある国々も協議に参加し意見を求められていました。

メコン川委員会は2019年と2020年の2回にわたって、このダム建設プロジェクトに関し、もし洪水や地震により、決壊などの大規模事故が起こった場合、ルアンパバーンに甚大な被害が出るであろうと技術報告書で公開しています。

下流に位置するベトナムとカンボジアも、メコン川の水位の変化や、近年の複数のダム建設の影響による環境に対する影響について懸念を表明しています。しかし、メコン川委員会には、プロジェクトそのものに対して可決や否決をする権限はありません。

この案件に特異な難しさは、2点あります。
●ダムの建設予定地が、世界遺産に認定されている古都ルアンパバーンの緩衝地帯（バッファゾーン）の外にあること。
●そしてこのような大規模なエネルギーに関するプロジェクトが、国家の最高機関の職掌であり、多くの場合、首相や大統領も関与していること。
多くの締約国は、このような状況に関する事務局からの指摘に対し、「バッファゾーンの外であるから、問題はないと思った」とおっしゃいます。

しかし、前述（P158）の作業指針118bisでは、登録地域外における開発案件についても、影響評価は勧告されています。このようなケースの場合、実際に建設される場所がどこであろうとも、事故が起こった場合、世界遺産と周辺住民への被害があることを明確に予想しうることは、メコン川委員会の提言からも明らかです。

そのため、ラオスには、作業指針の条項に従って必要な影響評価を行い、その結果を踏まえてダム建設に関して最終的な判断をしてくれるように依頼しています。

しかし、ルアンパバーンを管轄する地方文化遺産局はむろんのこと、中央政府の文化省も、このダム建設を進めているラオス政府の担当省庁に対し、強く出ることは必ずしも容易ではありません。

また、当初はダムの決壊事故の可能性が焦点になっていましたが、次第に明らかになってきたことは、安全面の問題は技術的に可能な限りの最善を尽くすとしても、それよりももっと長期的な問題が内包されているという可能性です。

ラオス政府の国策として掲げられている「東南アジアのバッテリーになる」という政策にのっとって、すでに無数のダムや水力発電所が、メコン河上流下流に建設されています。最近、ルアンパバーンの街から見える中州が水没し、コンクリートの島に置き換えられました。これは、下流に建設されたサヤブリ・ダムが起こす逆流により、水位が上がったためとして、ダム建設会社が補償として建設したと報告されています。

私自身が査察ミッションでそのことを確かめ、レポートの中でも重要事項として言及しています。この中州は、地元住民や仏教寺院が、メコン川の守護者であるナーガ神への祈祷などにも使っていた場所です。また川の何カ所かに、ナーガ神信仰の場所として伝わる場所もあるとのことです。

また、ルアンパバーンの河岸はこれまでに何度も大雨によって浸食され、護岸工事も複数の場所で実施されています。ダム建設による水流や水圧の変化も、影響しているのではないかと言われています。

メコン川の水位、河岸の様相のあり得る変化が、伝統的な生活スタイル、食文化、民間信仰に何の影響も与えないとは考えられません。

魚の種類や数も変化しており、また、ルアンパバーンの食の特産品のひとつである河海苔が、すでに沿岸では取れなくなり他県へ発注しているなどという事態も耳にしました。

一昨年から委員会での議論が行われていますが、これらを確かな数値的な情報として、ダムとのかかわりを証明することは、決して容易なことではありません。

わたしが査察ミッションに訪れた2022年の春、当局が新年のお祝いということもあり、メコン川を下るクルーズを出して、このダムの建設地に連れて行ってくれました。すでに工事の準備施設がすべて設置され、メディアの報道では何千人もの住民が移住を余儀なくされたとも伝えられました。

2023年の世界遺産委員会で、私自身が査察ミッションの結論に基づき、水力発電の工事地点の変更を要請すると起案した決議案の部分は、世界遺産委員会メンバー国でありこの水力発電所による電力の購入国であると言われるタイによって消されてしまいました。この時、タイへの事前の入念なブリーフィングと、対話の機会が設けられなかったことが、この結果になったと思うと、非常に悔やまれる思いです。

ですが、「世界遺産の価値への影響がないとは証明できない」と何度も差し戻された遺産への影響評価報告（Heritage Impact Assessment）が、修正最終版として2024年2月に提出されました。そこに述べられた結論が、このまま水力発電建設を正当化するに十分な根拠を示しているのか、それが現在の争点です。

ラオス政府は世界遺産センターに、2021年から数件の評価報告を出してきました。しかし、それらはダム建設にもともとかかわっている建設チームが作ったものです。客観性に問題があるうえに、遺産価値に基づく考察が不十分であるため、作り直しを要求していました。

日本を含めた多くの締約国は、世界遺産周辺の事業に関する遺産影響評価や、環境影響評価、さらには自然遺産に対応するより広域かつ累積的な影響を査定する戦略的環境評価などを、法律的に制度化はしていません。そのため、これらのアセスメントを法律的に義務とする政策の導入を奨励しています。

世界遺産と経済効果

持続可能な開発の柱のひとつである持続可能な経済発展に関し、「世界遺産と持続可能な開発に関する政策」は、世界遺産がもたらす社会経済的な影響についてよりよく理解し、分析することを奨励しています。

ユネスコだけでなく、研究者による調査も多く存在しています。一例として、２０１５年に発表された英国のケースでは、スコットランドではユネスコ関連のプロジェクトで一年に１０８０万ポンドの経済効果を上げたと報告されています。[*6]

しかし、世界遺産登録による社会経済効果を正確に測定するのは、容易なことではありません。多くの場合、世界遺産登録で生まれてくる効果は、登録されることそのものより、それにかかわる国や地域の関係者のアクションによってもたらされるものだからです。

２０１９年春のデータ[*7]によりますと、世界遺産リストに登録されている資産の70%は、都市部にあります。１０９２件（当時）の世界遺産案件のうち、６２４件の文化および複合遺産中におよそ２７００の都市や街並みが含まれています。先に文化的景観などにも関連して述べたように、その特徴ゆえに、歴史都市や都市エリアは、世界遺産委員会で保存に関して最も議論の多い案件です。

保全状況に関する議論の半分以上が、都市部にある案件に割《さ》かれています。保存計画書の不備や法整備の問題が主要な課題です。

観光産業においても重要な存在

世界遺産登録による経済効果として、まず考えられるのは、世界的に知名度が上がり、国内外から多くの観光客を誘致できるということではないでしょうか。

２０１６年に上梓された、ユネスコがまとめた観光についての報告書*8によりますと、観光業は世界最大かつ最も急成長している経済セクターのひとつです。世界の国内総生産の９%を占め、11人に１人の雇用を提供しています。観光は、飛行機や自動車を含むエネルギー集約型の輸送モードに大きく依存しており、当時、世界全体の二酸化炭素排出量約５%に相当する観光による排出量は、25年以内に2倍以上になると予測されていました。

２０１９年のデータによれば、15億人以上の人々が国際的な国境を越え、しばしば世界遺産のある場所を訪れていました。

多くの世界遺産は観光地です。訪問する人々に、その地に独自の生活の習慣や歴史文化を紹介する活動を提供することで、観光業は共同体のアイデンティティの維持に貢献します。また、世界遺産になっていることで、真正性の高さを意識し、質の悪い商業化が避けられ、訪れる人の期待に応えることでローカル社会の経済にも貢献します。

しかし、地球規模での観光業の経済効果は、簡単に算出できるものではありません。観光客の数量と経済インパクトに関するグローバルな基準データはなく、局地的なものがほとんどです。そのため、グローバルな比較を行うことは現時点では難しいことをふまえ、ユネスコ事務局では「世界遺産と持続可能な観光プログラム」[*9]の活動によって、さまざまなパートナーと協力しながら、遺産観光に関する訪問客の支出、地方への経済効果を計測するための算出の標準化に取り組んでいます。

世界遺産に関わる観光計画とその管理は、遺跡を持続可能な資源として守ることと、訪れる人のニーズの双方を考慮に入れたものでなければなりません。

また、地元の住民の方々に観光が与える影響と、彼らのニーズも考えなければなりません。管理が十分でなく、コントロールされていない観光活動は、資産の劣化につながるだけでなく、そのアピール性も低く、長期的に見て競争力が低くなります。遺産の価値の維持と、それによる長期的な経済発展にとって、ネガティブな要素にもなります。

しかし、遺産管理担当の組織や政府当局が地域社会と協力しながら、保全に十分配慮することができれば、観光は遺産にも市民にも、貴重な財源となります。

保全に必要な経済収入を獲得しながら、地域全体の経済成長に貢献し、地域社会のアイデンティティと住民の生活を向上させることもできるのです。持続可能な観光とは、遺産周辺に住む人々に社会的、経済的、環境的な利益をもたらすような方法でデザインされる必要があります。だからこそ、世界遺産の保護に取り組む人々の責任は大きいのです。

「アドリア海の真珠」――有名観光地であることのプラスとマイナス

ダルマチア沿岸の「アドリア海の真珠」とも称されるクロアチアのドゥブロブニク（1979年登録、1994年拡張）は、13世紀以降、地中海における重要な海洋勢力となりました。

1667年の地震で大きな被害を受けましたが、ゴシック様式、ルネッサンス様式、バロック様式の教会、修道院、宮殿、噴水が保存されていました。1990年代には武力紛争により再び損害を受け、ユネスコが調整する大規模な修復プログラムの対象となっています。

近年では、大人気のTVシリーズ「ゲーム・オブ・スローンズ」の撮影地としても有名で、ヨーロッパでも新しいメジャーな観光地となっているようです。

しかし2014年ごろから、観光によるプレッシャーが、古都ドゥブロブニクの保全に大きな脅威であると認識され始めました。この年、世界遺産条約局の要請に応じて提出されたレポートから、大規模開発が、ドゥブロブニクに歴史的に存在していた、中世の建築と都市計画・景観、農村環境との間の明確な区別を消失させ、都市の普遍的価値に不可逆

「アドリア海の真珠」ドゥブロブニク（©UNESCO）

的な影響を与える可能性があると判断されました。
世界遺産委員会は、登録地域とその周辺における累積的影響を診断する包括的な調査と遺産影響評価（ＨＩＡ）が完了するまでは、開発プロジェクトを停止するよう要求しました。また、大型クルーズ船の影響に関しては、きわめて短時間の間に古都を訪れる観光客数の多さに対応する解決策を特定するには、より具体的な情報が必要であり、特に都市経営計画と観光開発戦略が現在および将来の観光課題にどのように対処するかを示すことを要求しました。
２０１５年11月、ユネスコとＩＣＯＭＯＳの査定ミッションがドゥブロブニクを訪問し、主要な開発プロジェクトの潜在的な影響を評価しました。

その中で、ゴルフコース、観光リゾートとスポーツ・レクリエーションセンター、ホテルなどの新しい案件に加え、古都の中で実施されている修復事業の問題点についても指摘しています。特に問題とされたのは、城壁の修復と、歴史的な下水道システムに関するものです。城壁の修復とメンテナンスのために使用されている資材と方法の質に疑問が呈され、保全のメソッドに関するガイドラインを策定すべきであると勧告されています。すでに実行された不適切な修復事業によって損傷を受けた壁を早急に再修復することが要求されました。

2018年の委員会決議では、クロアチア政府の数年間の努力を認めていますが、具体的な進展が限られていることが憂慮されています。

特に、保全の全体的な指針を示す管理計画書の進捗《しんちょく》が遅く、クルーズ船観光、開発プロジェクトによるドゥブロブニクとそのバッファゾーンへの圧力を回避するための規制が優先・迅速化する必要があるとされています。遺産の解釈・紹介に関する戦略の準備に関する情報は提供されなかったため、まだ取り上げられています。

一方、2015年の査察ミッションの際に指摘されたいくつかの不適切なプロジェクトについては、中断されたことが確認され評価されました。特に問題視されているのは、ゴルフコースとスポーツ・レクリエーションセンターです。ゴルフコースについては修正計画と、遺産影響評価の実施が繰り返し勧告されています。また、劣化が心配されていた、市街地にある「オルランドの柱」をレプリカに置き換え、博物館にオリジナルを展示することは、必要かつ適切な介入として受け入れられています。

歴史的な下水システムの修復計画は、作業が開始される前に、諮問機関による評価のために世界遺産センターに送付するように要求されています。考古学的特徴に影響を与える可能性があるためです。

世界遺産の観光統制策が評価されたアムステルダム

「アムステルダムのシンゲル運河の内側にある17世紀の環状運河地域」として登録されるオランダの首都の中心部は、「北のヴェネツィア」とも呼ばれる運河の街として有名です。もともとは海を干拓してできた低地の集落で、1175年には歴史的に存在が確認され、16世紀後半には3万人の人口を擁する港湾都市となったアムステルダムは、オランダの海外進出にともない、さらに世界的にも重要な港になっていきます。

オランダ人の通商範囲が広がるとともに、さまざまな地域から物資や高い技術を持った職人、また思想の自由を求めて宗教弾圧を逃れてくる亡命者も流入しました。増加する人

アムステルダムのシンゲル運河（©messier photo）

口と、物資を収納するために行われた拡張が、現在のアムステルダムの基礎になっています。

町の特徴として知られる大運河は、12世紀末に築かれたアムステル川の河口の堤防（ダム）と都市を建設した際に、「ダムに囲まれた都市」としてアムステルダムと名づけられたといいます。ダムを起点に同心円状に広がる大運河とその間を走る小運河、商人の屋敷や倉庫を行きかう網目状の通行路として発達しました。東方貿易の独占権を持ったオランダ東インド会社はあまりにも有名です。4000を超える、整然としたファサードを持った建築物が、運河と並ぶアムステルダムの魅力となっています。

アムステルダムで当初問題となったのは、

現代的な大規模なビルなどの建築、景観の劣化、また商業活動による騒音でした。一日に街を移動する人の数は450万人、一年で1000万人以上の観光客が訪れます。BRIC諸国（ブラジル、ロシア、インド、中国）からの観光客が多いことも特徴です。リークスミュージアムやアンネ・フランクの家などのメジャーな観光スポットに多くの人が訪れています。定番の運河地域での船での遊覧などだけでも数万人の雇用を支えるとされ、同時に、多くの問題が認識されるようになりました。

2011年ごろまでに、アムステルダムは観光開発に関する政策改革を通じて、広告規制を厳しくして景観の改善に努めました。また、市と商業部門の間で憲章を結んで公共空間の開発と再開発に関する規制、利害関係者との協議、登録地域と緩衝地帯における高層建築物の規制、市民社会から反対のあった変電所の移転などを行い、抜本的な改善策を推進しました。

その結果、世界遺産委員会から高い評価を受けています。

観光と遺産マネジメントのバランスをとるために*10

観光産業を世界遺産の保全と両立させるには、それぞれの国や地域に特有の要素を考慮し、有効性があり、かつ柔軟な政策が不可欠です。世界遺産委員会事務局では、テイラーメードの観光政策を作成するための援助を、複数の締約国や地域に対して行ってきました。

インドネシアのバリ島は、多くの人が知る東南アジアの代表的な観光地です。世界遺産としては2012年に「バリ州の文化的景観：トリ・ヒタ・カラナ哲学の現れとしてのスバック・システム」として登録されました。その名が表す通り、1万9500ヘクタール相当の地域に5つの棚田と水の寺院を擁する世界遺産です。自然景観のみならず、それを支える哲学的な宗教観が、世界遺産としての普遍的価値に重要な要素とみなされています。

スバックは、寺院を中心として住民が運河と堰《せき》などの水管理を行う組合システムとして知られ、人間の世界と自然の領域を結びつけるトリ・ヒタ・カラナの哲学的概念を反映しています。この哲学は、過去2000年にわたるバリとインドの文化交流から生まれ、バリの風景を支えてきたものです。泉や運河の水が寺を通って水田に流れ出る風景が美しく、島最大かつ最も印象的な建築様式で知られるプラ・タマン・アユンの18世紀のロイヤル・ウォーター・テンプルが有名です。

米作と、それを支える水を統制する社会的慣行システムであるスバックは、神々からの贈り物である自然の収穫に感謝する宗教的な実践であるとともに、人口密度の高い島にとって重要である、高い収穫量を得ることを可能にしています。

バリ島の美しい水田（©Paxson Woelber）

11世紀以来、水の寺院のネットワークは、このシステムによって流域全体の規模で棚田の生態を管理してきました。

バリ島の世界遺産登録地域への観光客の数は、2012年の年間130万人から2014年には160万人以上に増加しました。2015年の統計では観光客一人当たりが一日に使うお金は160米ドル、一人当たりの平均滞在日数は、インドネシア人でも外国人でも3日強。このことによって、世界遺産の保全にも、コミュニティの生活にも、プラスとマイナスの両方の影響がもたらされました。

観光産業の成長により、毎年平均1000ヘクタールの棚田が観光施設や宿泊区域に転換されていることにより、インフラ整備が景観の真正性と完全性を脅かすと認識されています。

観光目標は質よりも量を重視する傾向があるため、観光客受け入れの耐力を越えてしまうこと、観光が農業よりも大きな経済的利益を提供するため、農業従事者人口が減る傾向にあること、最終的にはスバックシステムそのものが衰退することなどがリスクに挙げられています。

これらの脅威に対して、インドネシア政府はいくつかの措置を講じています。まず、農業従事者へのインセンティブとして、バリ州政府は有機農業に戻る農家を支援しています。スバックに種子と肥料を提供するプログラムを農業事務所を通じて行い、各スバックに年間資金やトラクターの提供を行っています。

持続可能な観光管理を進めるため、特に注意を要する脆弱《ぜいじゃく》なエリアをゾーン分けして、必要であれば閉鎖します。また、訪問者の経験をより良いものにするガイド付き散歩などのレクリエーション活動を監督する規制を、州令によって設けました。

世界遺産地域の保護と管理は、スバックのリーダー、行政区画の長、慣習的な村長、神職など、さまざまな利害関係者の参加によって維持されています。２０１４年6月に設立された、カトゥール・アンガ・バトゥカルのスバックに関するフォーラムは、スバックに関する付属定款を定めたり、参加型の社会文化マッピングを行うためのトレーニングを行うほか、国および地方レベルでのさまざまな決定過程への積極的な関与を奨励することによって、管理に重要な役割を果たしています。

バリ島全体には多くの観光客が訪れているため、世界遺産の登録エリアを保護するためには、その地域を単一のエリアとしてさまざまな規制や対策を導入・推進することが必要であったという例です。

アフリカで実施した持続可能な観光戦略のためのワークショップ

いくつかの国に、共同で持続可能な観光政策策定のためのサポートをしている例もあります。事務局が作成したツールを使用し、それぞれ異なる世界遺産に対応する戦略を策定するため、アフリカ世界遺産基金とも協力して、「アフリカの世界遺産4カ所の持続可能な観光に関する能力開発」プロジェクトを2015年に実施しています。

このプロジェクトでは、ンゴロンゴロ保護地域（タンザニア）、マラウイ湖国立公園（マラウイ）、マロティ・ドラケンスバーグ公園（南アフリカ／レソト）、モシ・オア・トゥニャ／ビクトリア・フォールズ（ザンビア／ジンバブエ）の4つの世界遺産の管理者たちのため、実習とワークショップを開催しました。

ザンビアでのワークショップは、世界遺産地域の保全を果たしつつ、地域全体の持続可能な観光について戦略的に考えるため、ザンビアとジンバブエからそれぞれグループを招待しました。SWOT分析を核に問題点を議論した結果、観光戦略の基礎となる4つの戦略的優先事項が特定されました。

弱い点としては、両国にまたがる遺産であるにもかかわらず、入場料が異なること、マーケティング努力の未調整、認定ガイドの有無、多言語ツアーや英仏語以外の宣伝資料がないこと（ポルトガル語と中国語に対応するべきという指摘があります）、オンラインでの支払いができないこと、などといった実用的な問題から、グローバリゼーションによる文化の希薄化、文化的価値の変化や、自然環境の変化、疫病、外国投資家による市場に関する否定的な認識、高い税制など、世界遺産を取り巻く全体的な問題も指摘されています。

ワークショップの結論とこれからの行動計画によると、より多様な観光の旅程やユニークな視点を提供するために、世界遺産の価値に根差した製品を開発し、多様化し、より多くの訪問者にこれらの製品を販売し、伝えていくことの強い必要性を挙げています。

このプロセスでは、バリの例と同じく、共同体の関与が、訪問者により良い観光体験を提供し、地域社会に利益をもたらす成功の鍵と認識されています。世界遺産の価値に根差しつつ、新しい投資と資金を誘致するためのこのような新しいビジネスモデルの開発が、新戦略の重要な要素として合意されました。

世界遺産センター主導のプロジェクト「世界遺産への旅」

世界遺産センターが主導する観光分野のプロジェクトに、欧州連合（EU）から支援を受け、ナショナルジオグラフィックをパートナーとして行われている「世界遺産への旅」があります。このプログラムでは、ヨーロッパ全域で、持続可能な観光開発を手掛ける優れた取り組みについて扱っています。

プログラムには、「王たちのヨーロッパ」「古代ヨーロッパ」「ヨーロッパの地下世界」「ロマン期のヨーロッパ」の4つのテーマがあり、34の世界遺産が紹介されています。どれをとっても、訪れたくなる魅力的な場所ばかりです。

「王たちのヨーロッパ」では、王政が富と権力の象徴として建設した城郭、築城や装飾、国によって華麗に異なる造園の形態などを見ることのできる世界遺産が集められています。主要な資産としては、フランスの「ヴェルサイユ宮殿」やポルトガルの「シントラの文化的景観」などの知名度の高いものから、チェコの「クロミェルジーシュの庭園群と城」、イタリアのナポリにある「カゼルタ宮殿と庭園」、デンマークの「シェラン島北部のパル・フォルス式狩猟の景観」など、どんなところだろうと旅人の好奇心をかきたてる錚々《そうそう》たるラインナップです。

「王たちのヨーロッパ」では、「古典音楽に導かれる世界遺産訪問」「ヨーロッパの鉄道遺産を巡る旅」などのテーマによって、複数の国を巡る旅程も提案されています。

このプロジェクトは、複数の締約国にある世界遺産をつなぎ、訪問する人が普遍的価値に対する理解を深めることを目的としています。場所や建築物を中心とする文化的価値を通じて表現される歴史的価値と、共同体が今日も守り続ける生きた無形文化遺産の両方を組み合わせることが、このイニシアティブのユニークな点でしょう。

オンラインのプラットフォーム[*11]から、参加している世界遺産の周辺で体験できるアトラクションやその他のいろいろな情報を見ることができるようになっています。

複数の世界遺産をつなぐプロジェクト

「まえがき」で、世界遺産とは、「世界の人々の文化と歴史が、絶え間ない交流と相互の影響によって成り立ってきたことを証言する存在であるところに大きな価値がある」といいました。

そのような考えから、いくつかの世界遺産を、付属のミュージアムの協働によって重層的に紹介するプロジェクトを複数行いました。２０１１年から２０１５年まで、旧フランス植民地であるカンボジア、ラオス、ベトナムのメコン流域6カ所の世界遺産と、9つのミュージアムの関係者およそ50人ほどからなるプロジェクトチームを立ち上げ、「世界遺産を旅する」展示企画を作りました。シリアのダマスカス国立博物館と、エジプトのヌビア博物館の収蔵品を文化の交流の視点から再解釈した合同展覧会も実施しました。

このようなプロジェクトは、長い期間にわたって複数の国の世界遺産や付属ミュージアム関係者が協働するため、プロジェクトの成果物である研究成果や展示もさることながら、その後も続くような関係を築くお手伝いをすることに大きな価値があります。

メコン地域では、参加した6カ所の世界遺産における共通の歴史や、美術表現の進化、信仰、貿易や技術の伝達などについて、収蔵物や世界遺産の遺構に残る芸術作品を通じて比較検討を行い、展示とカタログを創り上げました。[*12] 9カ所のミュージアムで、数万人を動員することができました。

シリアとエジプトは、ギリシア・ローマ時代以前から、世界のさまざまな地域と多くの交流があったことが、それぞれの収蔵品からも顕著に見て取れます。それぞれ展覧会とカタログを発行して、あとあとまで残る成果を作ることができました。

気候変動は世界遺産にも大きな脅威

気候変動は、私たちの生きる社会にとって大きな課題であり、地球全体への影響を抑えるための国際協力が進められていますが、世界遺産にとっても大きな脅威のひとつととらえられています。

2005年に、このトピックについて関心を持つ組織グループが世界遺産委員会の注意を喚起し、ユネスコは気候変動が世界遺産にもたらす影響をコントロールする指針の起草に着手しました。

2006年には、世界遺産委員会主導で、事務局と諮問機関、外部の専門家からなるワーキンググループによる最初の報告書[*13]が作成され、ケーススタディーを集めたCase Studies on Climate Change and World Heritageも出版されました。

続いて2007年に、世界遺産委員会の総会で、政策ドキュメント（a Policy Document on the impacts of Climate Change on World Heritage properties（Policy Document））が採択されました。

この最初の政策ドキュメントから現在に至るまで、気候変動の世界遺産への影響は、多くの事例で報告されています。

2017年、世界遺産委員会は、国連の気候変動枠組条約のパリ協定を条約締約国が施行することの重要性を改めて確認しました。パリ協定の規定では、「世界の平均気温上昇を産業革命前に比べて2℃より十分低く保つとともに、1・5℃までに抑える努力をする」という目標が掲げられています。

また、この10年間に気候変動に関する多くの研究がなされ、因果関係に関する考察が進歩したことを考慮し、委員会は2016年に事務局と諮問機関に対し、この政策ドキュメントを定期的に見直すよう提案しました。気候変動は世界的な課題であり、緩和策と適応策の双方に取り組む必要があり、世界遺産はそのような取り組みを推進する重要なプラットフォームでもあります。

2014年のIUCN主導の報告[*14]によると、世界遺産として当時登録されていた自然遺産や複合遺産222件は、それぞれ陸上と海洋保護地域の11%と25%に相当します。

世界遺産は、これまで述べてきたように、普遍的価値に基づいて登録されますが、一方で多くの生態系と同様、地球が人間とその社会に提供してくれている地域的・世界的に重要なサービスを担っています。世界遺産地域内の多様な生態系のサービスを特定し評価することは、景観の美しさや珍しさだけではなく、世界遺産と我々の直接の結びつきについいて認識し、その保全活用に細心の注意を払い、また投資するための大切な一歩です。

開発問題との関連で言及したバングラデシュのスンダルバンは、マングローブ生態系が沿岸地域における防災に大きな役割を果たしていることが知られています。国連開発計画（UNDP）によれば、スンダルバンに2200キロメートルの沿岸堤防を建設するためのコストは毎年2億9400万米ドルの設備投資と600万米ドルのメンテナンスが必要になると言われていますが、スンダルバンのマングローブ林は、海岸線の侵食を防ぎ、緩衝地帯を提供することによって洪水被害を軽減し、生態系の安定に貢献しています。[*15]

また、スンダルバンとその周辺地域は、1億8000万メガグラムの炭素貯蔵庫として機能しています。つまり、気候変動への取り組みに重要な意味を持っています。

スンダルバン地域は、世界でも最も人口密度が高い地域であり、これらの生態系サービスは人々にとって不可欠の機能を提供しています。これらの機能が劣化していけば、生態系サービスが無償で提供してくれる恩恵を、高い代償を払って代替しなければならないことになります。特に炭素貯蔵に関しては、人間が簡単に代替システムを開発できるものでもありません。スンダルバンのマングローブ生態系の保全に現在費やされているよりもはるかに高額なサービスを、自然は提供してくれているのですから、生態系の保全を通じてリスク防止に投資する方がはるかに経済的と言えます。

気候変動の抑制に貢献しているロッキーマウンテンパーク

気候変動の抑制に貢献するロッキー山脈

次に、山脈が重要な気候変動の抑制に貢献している例を見てみましょう。

カナダのロッキーマウンテンパークは、総面積2万3684平方キロメートルの地域に、ブリティッシュコロンビア州とアルバータ州の国境の間、長さ400キロメートルの帯状に広がる7つの連続した公園で構成されています。域内に山頂、谷、洞窟、氷河、湖、滝などが散在し、景観だけでなく、重要な化石記録の存在によって、基準(vii)と(viii)で登録されています。

ヒースや草原、森林地帯、泥炭地、氷河、雪に覆われた地域など、山岳地帯には多種多様な気候地帯が共存しており、森林地帯や泥炭地における炭素貯蔵を通じて、気候の調整に貢献しています。

森林は炭素のシンク（カーボンシンク）として、地球規模の炭素循環における重要な役割を果たしています。世界銀行によると、世界の寒帯森林バイオーム（生物群系）は、地球上の炭素の最大380Gtを貯蔵していると推定されています。また、森林は地表のアルベド（反射率）を制御することによって気候調整においても重要な役割を果たしており、雪や氷河も日射量の反射や気候調節に寄与しています。

ロッキーマウンテンパークが提供する生態系サービスは、気候変動への地域の適応において重要な役割を果たすのみならず、地球規模の気候状況にも影響すると報告されています。地域内の動植物の保全、炭素の貯蔵と吸収、氷河や雪中の水の保持、ならびに国内の産業用の低地への一定かつ安全な水供給を確保することなどです。大規模な森林地帯の適切な保全は、CO_2排出量の制限、CO_2シンクの増加によって気候緩和目標を達成する上で重要な要素となってきます。

海洋遺産のブルーカーボン生態系*[16]効果

これまで、持続可能な開発への世界遺産の貢献については、陸上の森林などに蓄積される炭素（グリーンカーボン）について、主に説明してきました。2021年2月に公開されたユネスコの報告書*[17]によると、50件の海洋世界遺産は、全海洋の1％未満であるにもかかわらず、世界のブルーカーボン生態系面積の少なくとも21%、ブルーカーボン資産の15%に相当すると述べられています。

さらに、海洋世界遺産が２０１８年の世界の温室効果ガス排出量の約10%に相当する数十億トンの二酸化炭素やその他の温室効果ガスを蓄積・固定する役割を果たし、海岸線が担うブルーカーボン生態系によって多くの海洋および陸生種の生息地の維持、海岸線の保護、地域社会の幸福や、栄養素生成と炭素循環において重要な貢献をしていることが示されました。

過去10年間の間に、研究によって「青い炭素」生態系として知られる海草場、潮汐《ちょうせき》湿地やマングローブ林が、大気と海洋から大量の炭素を隔離して貯蔵することで、気候変動を緩和するのに役立つ自然システム「カーボンシンク」のひとつであることが明らかになりました。

したがって、２億７０００万ヘクタールの面積を占め、２０２０年時点で世界中の保護海洋地域の10%に相当する海洋世界遺産の生態系は、気候変動抑止に非常に重要な価値があることが証明されています。

世界最大のマングローブ林の一部である「スンダルバン（インドとバングラデシュ）」、知られている世界最大の海草場である「エバーグレーズ国立公園（米国）」と「シャークベイ・西オーストラリア州（オーストラリア）」、世界最大の海草生態系を持つ「グレート・バリア・リーフ（オーストラリア）」、世界最大級の干潟を含む「ワッデン海（デンマーク、ドイツ、オランダ）」や、地球上で最も古く、大きな生物のひとつを保護する「イビサ島・生物多様性と文化（スペイン）」の海草場もあります。

これらの海洋生態系を含む海洋遺産は、プラスチックごみによる汚染から気候変動に至るまで、幅広い課題に直面しています。これらの生態系が劣化したり、破壊されたりすると、多くの炭素が排出されてしまいます。海洋遺産のカーボンシンクとしての価値を定量化し、それらを保全するためのブルーカーボン戦略を推奨することが喫緊の課題になります。

しかし、現在までに、気候変動緩和政策にブルーカーボン戦略を組み込んでいる国はまだ限られています。

気候変動への取り組みにおける課題

2019年12月から2020年1月にかけて、締約国、遺産管理機構、諮問機関、NGOなどの関係者を対象に、38項目の質問からなるオンラインの調査が実施されました。

この調査が明らかにした、世界遺産と気候変動に関する政策施行上の課題は、およそ次のようなことです。

- 多くの場合、締約国は政策施行に関して受け身であり、特定の予算、人材を政策の実施のために投入しておらず、中央と地方の管轄組織の間の連携のための政治的な支援がない、また気候変動が世界遺産に与えるインパクトの速度について、見通しが甘いこと。
- 前述の世界遺産と気候変動に関する政策文書が、気候変動に関する国際的な枠組みの中で起草されているため、世界遺産やその存在する地方に必要とされる個別のアプローチや管理体制の適応のためのガイドラインは示せていない。
- 気候変動が無形遺産に与える直接的間接的影響を考慮していない。
- 文書自体が知られていない。
- 英語とフランス語だけでなく、多くの言語に翻訳して、周知を図る必要がある。

また、条約そのものの施行プロセスの中で、より気候変動を意識した取り組みを増やすことも重要とみなされています。例えば、

- 作業指針（111及び118項）やその他の参考ドキュメントの中に、明確に気候変動に

ついて付け加える。

- 世界遺産リストへの登録推薦の書類の中に、気候変動に関する当該資産の脆弱《ぜいじゃく》性について の考察を含める。
- 締約国に対し明示的に、登録後のモニタリング、危機回避や適応についての対策を求める。

などの提案がされています。

毎年の世界遺産委員会では、保全状況に問題のある世界遺産が審議にかけられる(Reactive Monitoringと言います)わけですが、それとは別に、地域ごとに数年単位で一斉に行われる保全状況の周期報告があります。

これは、オンラインでの定型の質問に答える形で、すべての国の登録案件について一般的な保全状況を調査するものです。

気候変動に関する対策についての回答を必須項目にすること、また、この調査によって明らかになった世界遺産の気候変動への取り組みについて、類似の案件やグッドプラクティスについてよりよくシェアできるようにすることなども提案されています。

気候変動への取り組みについては、地域共同体が持っている伝統的な知識の共有や強化も重要とみなされています。ほかの国際条約でも意識されていることですが、気候変動は既存の社会的な不平等を拡大させる危険があり、特に資源ベースの生活手段に大きく依存しているグループの日常は、居住地域に生じてくる自然の変化に大きく左右されるため、高いリスクを潜在的に背負っています。

そのため、世界遺産の周辺に居住する地域共同体メンバーとの協働は、適応戦略の履行には不可欠と認識されています。必然的に、このような戦略を策定する側は共同体の性質や、ジェンダーに関する考え方などにも留意する必要があります。

また、共同体のメンバーが持っている知識は、空間認識や、季節ごとの微妙な変動など、アカデミックな研究が網羅できない観察や解釈を提供してくれるものとして、その活用が奨励されます。

気候変動とジェンダーに関しては、さまざまな研究がすでになされています。総合的にみて、社会的教育的な資産へのアクセスの低さ、権利の制限、可動性の低さや決定過程への介入の難しさなどにより、女性が男性よりも干ばつ、洪水などの気候変動の影響をより強く受けやすいことを考慮し、女性が家庭や共同体の維持に果たす大きな役割を考慮し、その参加を奨励するものです。

教育や能力開発に関しては、情報のテーマ別共有、ガイドラインの周知のほか、サイト管理者や共同体のメンバーに対するトレーニング、マネジメントプランへの気候変動のインパクトに関するリスク準備などを一貫して組み込むこと、影響評価アセスメント実施、国内と国際的なルールの整合性、議員や政治家たちへのレクチャーなどが課題とされています。

また、全体的スタンスとしては、リスク回避よりも適応の方が長期的には重要であると示唆されています。

ケニア自然公園にできたゾウの回廊

自然遺産と気候変動への取り組みを、例を挙げてみてみましょう。

「ケニア山国立公園」では、1997年に自然遺産として登録された同公園に、2010年にレワ野生保護区域とヌガレヌダレ保護林を追加し、動物の周期移動を容易にする回廊を設けたことで、気候変動への適応を図りました。

ケニアヌガレヌダレとケニア山の間に、象が通れる回廊を通し、北側のサンブル国立自然保護地域に至るまで、広大な保護区域がひとつにつながることになりました。

その数年前に、人造の高速道路下の迂回路を象が利用したことですでに有名になってい

ゾウの回廊をつくったケニア山国立公園（©UNESCO）

ましたが、今日では毎年数百頭の象やほかの野生動物がこの回廊を通って移動しています。動物たちにとっては人間の居住地域に踏み込まずに、より多くの食物や水を獲得するための解決策となりました。

このように、保護地域の間で動物の移動を容易にする方策は、長い干ばつなどの時期には大きな成果を発揮している例があります。

ポストCOVID－19の世界遺産への影響

２０２１年にユネスコが行った調査では、世界遺産を持つ国のほぼ半数以上において、２０２０年から世界遺産が部分的、全体的に閉鎖されている状況が明らかになりました。特に観光業に国としての収入を頼っている開発途上国では、COVID‐19による経済的社会的影響は甚大です。[*18]

2019年、カンボジアの「アンコール」遺跡は、遺跡への入場チケットだけで約9900万ドルの利益を上げています。[*19] 世界銀行の2019年の調査書によると、カンボジアの観光部門は、国際線到着の82％をカバーするアジア太平洋地域からの観光客に依存する状態が続行しており（中国40％、ベトナム12％、ラオス6・1％、タイ5・2％、韓国4・2％、日本は6位で3％）、意外にもヨーロッパとアメリカ大陸からの観光客はそれぞれ12・4％と5・7％のみとなっています。

プノンペン（およびその周辺）を訪れる外国人観光客は、2018年の46％から2019年には50％に上昇しました。しかし2019年、アンコールワット寺院を訪れた観光客は、2019年の最初の6カ月間で8・3％減少したことが報告されています。また、シエムリアップ国際空港に到着した外国人観光客は、2008‐09年の世界金融危機以来初めて減少しました（5・5％減少）。

2020年初頭、世界的なCOVID‐19の流行を受け、カンボジアも大きな打撃を受けました。4月11日、観光省は、COVID‐19による危機が続いているため、カンボジアの観光部門の労働者約63万人のほぼ半数が職を失ったと発表しました。

COVID－19の世界的な流行は、観光業に国の財政を依存する国が大きなダメージを受けることを明らかにしました。ユネスコは、世界的なロックダウンが続く時期に、文化遺産や教育へのアクセスを促進するため、世界遺産や博物館の様子を共有するための#ShareOurHeritageというソーシャルメディアキャンペーンを開始しました。

当初は締約国の世界遺産の89％が、部分的または完全に閉鎖されている状況が報告され、各国のサイト管理機構からの現場の声なども動画で寄せられています。

日本政府からのありがたい申し出でベトナムの世界遺産を支援

COVID－19を契機に、各国で世界遺産周辺の共同体の生活を支える新しい取り組みやイニシアティブも生まれました。

2020年の半ば、日本政府から世界遺産条約事務局に対し、ありがたい申し出がありました。COVID－19のために大規模な困難に直面している世界遺産のため、実験的なプロジェクトに資金を提供し、地元住民のための新しい経済モデルや観光に関する画期的な活動を支援するというものです。

当時のロスラー・世界遺産センター長が、アジアからはベトナムの「チャンアンの文化景観（前述）」を推薦することに同意してくれたので、私がチャンアンの当局と相談して、パイロットプロジェクトをデザインすることになりました。

　ベトナム観光・国立文化芸術研究所からの2020年9月の情報によれば、4万7000に上る文化関係のビジネスがCOVID－19によってネガティブな影響を受けています。観光事業の収益は、前年の同時期と比較して50％から60％減少、観光事業会社によっては収入が皆無の例もあります。観光地のサービス労働者の失業率は高く、輸送、繊維業界で働く人の78％、航空業界の98％が解雇されたと報告されています。ベトナム全国で世界遺産は閉鎖され、収入のみならず、地元の人々の生活、特に前述のチャンアン文化景観のバッファゾーンに居住する地元の人々に多大な影響を与えています。4000人以上の女性労働者（遺産ツアーでボートの漕ぎ手として働く一家の稼ぎ手）が農業などのほかの収入の道を模索しているとのことでした。

　チャンアンのあるニンビン州は、長い豊かな歴史と文化の伝統を持つとともに、歴史的に重要な軍事地域でもありました。世界遺産への登録の恩恵で、交通の便が良いこともあり、この州の観光開発が迅速に進み、それによって、何千人もの地元住民の雇用機会が生まれ、収入増加と生活改善につながり、社会経済発展に大きく貢献していると認識されています。

　州が国レベルでも主要な観光地になるとともに、観光業が州の主要な経済セクターになりつつあります。

世界遺産付近の地域には4万4000人以上の住民がおり、うち2万7000人以上が登録地域の中心部分に住んでいるため、チャンアンはまさに「生きた遺産」ともいえるでしょう。その人口の4分の1が、観光業によって生計を立てています。

さらにその65％は、チャンアンの景観を巡るボートの漕ぎ手で、女性が多いことが特徴です。ほかにもレストランや宿泊施設、店舗の職員として、運転手、警備員、清掃員、ツアーガイド、職人や旅行代理店の雇用があります。

過去10年間（2010－2019年）、ニンビン州の観光客の年間平均増加率は11％に達しており、売上高は年率23・6％増加しました。2019年の訪問客数は約7500万人、観光収入は3500億ドンに達し、うちチャンアン世界遺産地域への訪問者は630万人を超え、2014年（350万人）からほぼ倍増しました。地元の人々はまさに、管理機構の言葉を引用すれば「遺産に住み、保護し、そこからたつきを得る」という状況です。

2020年、本来ならニンビン州でベトナム訪問誘致のための記念行事が開催される予定で、観光スポットのインフラ、施設、働き手の確保が準備されていたのですが、2020年初頭からCOVID－19の影響により訪問者数が激減し、行事のキャンセルを余儀なくされました。

続いて3月中旬から4月末まで、チャンアンのすべての観光地は一時的に閉鎖され、約500の観光宿泊施設も一時的に閉鎖、航空便やツアーキャンセルで数兆ドンの損失が出ました。

多くの観光地や宿泊施設は、従来の約10〜25％の稼働率で、遺産地域内で就業している従業員の80％が一時的に失業しました（うち70％近くが女性）。2020年の8カ月間、世界遺産への訪問客数はわずか73万3000人で、2019年の同時期の25％という数字になりました。観光活動による収益は2019年の同時期の数字の30％でした。

この困難な状況にあって、国家だけでなく、遺産地域の地元行政やビジネスオーナーが、COVID－19の影響を受ける人々を支援するための政策と措置を行っています。しかし、長引く問題のため、観光客の到着数は当分は回復しないと見られ、さまざまな支援が必要とされています。

現在、COVID－19による閉鎖時期に大きなダメージを受けた女性や地域共同体の参加による、チャンアン周辺の伝統的工芸品、料理などをグレードアップし、内外の観光客や地元民にオンラインの注文システム等を使って提供するプロジェクトが進んでいます。

誰のための世界遺産か

世界遺産条約は、ご存じの通り政府間の約束事であり、条約の批准やそれに関係する活動を推進するのは究極的には独立国家の責任です。

しかし、これまで見てきたように、世界遺産の保全や活用は、そういった法律的な枠組みによって支えられている面もありますが、毎日遺産を管理するにあたってさまざまな問題に直面する当局や、遺産のある地域に居住する共同体や住民の皆さんなど、多くの利害関係者の生活を切り離しては考えられない面があります。

登録されることによって、周辺やより広範囲な地域に住む人々の経済状態や教育、慣習に大きな影響を与えている例がいくつもあります。それらのケースをひとつひとつ見ていくと、解決にひな型はなく、地道に共同体との対話を進めたり、建前でない本音の部分をどれだけ理解できるのか、ということも重要だとわからされます。

また、多くの国際的な問題への取り組みの上で、地域住民の存在が重要視される一方、政府間の枠組みを主体とするプログラムがどのように参加型のガバナンスを実行していけるのか、興味深い課題です。

世界遺産に指定されたことで、その地域の慣習に変化が生じることも

以下、私がよく知っている例を挙げながら考えてみたいと思います。

パキスタンのカラチ空港に、肌の見えない服にエルサレムでもかぶっていた慣れないスカーフで髪を隠し降り立った私を迎えてくれたのは、ユネスコのイスラマバード事務所の同僚と、パキスタン政府側のコーディネーターでした。

カラチ一帯は国連によって危険地域指定を受けているため、ビザや渡航手続き、宿泊地の決定も、現地の国連当局からの許可が下りるまでに長くかかりました。空港からは現地警察によるエスコートがあり、カラチ市内のセキュリティー完備のホテルにまず一泊して当局との打ち合わせを行い、次の日に、査察地へ陸路向かうという日程です。

私の出張の目的は、2018年の世界遺産委員会会合によって、保全状態に多大な問題があると判断されたパキスタン南部のシンド州の「サッタのマクリ歴史建造物群」をICOMOSのエキスパートと一緒に査察し、問題解決への提言を行うことです。インダス川のデルタ近くにある、約10平方キロメートルの面積に50万基もの霊廟や墓を有する巨大な墓地遺跡が中心となる遺跡です。

サッタはかつてイスラム文化の中心の一つとして栄え、インダス川近隣の3つの連続し

た王朝の首都で、後にデリーのムガール朝皇帝によって支配された地域です。都市遺跡と墓地が、14世紀から18世紀にかけての装飾意匠など、シンドの文化的特徴を顕著にあらわすものとして登録されています。サッタ市街には、インドのタージマハールを建造したムガール帝国第5代シャー・ジャハーンの建造になるモスクもあります。

マクリ遺跡への査察ミッションの任務は、大きく分けて、遺跡の区画の問題と、遺跡内の主要な建造物の保存修復状態の状況確認でした。

あとから述べるように、古くから慣習として続いてきた地元住民の皆さんの埋葬や呪術的慣習に密接に結びついた問題もありました。

南アジアのみならず、世界でも最大規模の面積を持つこの巨大な歴史墓地には、王、女王、聖人、学者、哲学者などがレンガや石の建造物に埋葬され、そのうちのいくつかは釉《ゆう》薬瓦の見事な装飾がほどこされています。

石造の最も重要な建造物の中には、1461年から1509年まで統治したジャム・ニザムディン2世の墓や1644年以前に建設されたイーサ・ハーン・タルカン霊廟があります。ディワン・シュルファァ・ハーン（1638年没）の墓地は最も色彩が豊かな例として知られています。

広大な墓地の中に、異なる建築様式の巨大な建造物が点在するさまは圧巻です。

特筆すべきは、これらの建造物に、グジュラート様式のヒンズー教建築とムガール帝国建築、ペルシャとアジアのテラコッタ建築の特徴などを取り入れ、現地の建築様式に適応させた例がみられることです。釉薬や絵付けタイルの製造は、これらの地域で製造されていたものの、模倣によってマクリで独自の芸術表現に進化したと思われます。

このように、外来の装飾や建築の伝統技術をその土地独自のものに発展させたさまは、まさに顕著な普遍的価値の例と言えるでしょう。

マクリ墓地群で最も有名な建築物のひとつ、ジャム・ニザムディン2世のお墓は、外側も基盤部分も塩害や地盤の陥没などによる劣化が進み、危機的な状況にあります。ほかの霊廟も、主要なもののひとつひとつがとにかく大規模であり、構造的に複雑であるため、修復には登録時のデータを基準にしたモニタリングや、優先順位をつけて資金集めをしていくことなどマネジメント面の課題も山積しています。

ユネスコで10年以上ミュージアムプログラムの主任をしていた私としては、広大な墓地のところどころに、建築物から剥がれ落ちた装飾物や、倒壊した部位が落ちたままになっていることが気になって仕方がありませんでした。あまり長い間風雨にさらされてはいけないので、場合によってはその場にシェルターをつけるか、できれば元の場所を特定した後、保存環境のよい保管所を作ってそこに安置してほしいと伝えました。

遺跡のユニークさと並んで、私にとって印象深かったのは、この歴史墓地に、周辺の住民の皆さんが、家族のご遺体を埋葬し続けてきた事実です。英雄、偉人の眠る墓地に、愛する家族の冥福を祈って埋葬する、それはほぼ慣習ともいえる行いだったと思います。しかし、遺跡の保護の見地から、世界遺産登録後、この慣習に対しては専門家から意見がたびたび出されていました。

埋葬することそのもの、お墓参りで行われる儀式もさることながら、大きな霊力を持つと信じられる墓地である故に、魔術的儀式の慣行なども、いまだに続いているとささやかれてきました。

確かに、正式査察の前夜遅く、当局の人たちが、ちょうどスーパーピンクムーンの満月だったマクリ遺跡に、私を連れて行ってくれた時、遺跡の中に、今でも多くの人が礼拝に訪れる場所を見せてくれました。深夜でしたが、その場所にはお香がたかれ、番人がいて、その中で祈っている方も多くいました。

イスラム教を信奉する国で、いまだにこのような地元の慣行がひっそりと残っているマクリ墓地。世界遺産に登録されたことで、これ以降、死者の埋葬は登録地のすぐ横にある指定地にすることという法令が出されました。その場所も見に行きましたが、草が一面に生えたままの空き地で、確かに、ご家族を葬るのならば、歴史的墓地の中に、というご遺族の方々の気持ちもわかるような気がしました。

ただこれから、あの空き地にはたくさんの方のお墓がたち、訪れる遺族がきっと、美しく飾っていってくれるだろうとも、思いましたが……。

このマクリ訪問でもうひとつ印象深かったのは、マクリの名士というべきヤスミン・ラリさんという篤志家の女性の活動です。

遺跡のすぐ後ろに私費で建設したセンターに、最貧層の若い女性を集めて、陶芸のアクセサリーや食器製造の手工芸を教えて製造販売し、彼女たちの自立支援をされていた様子です。多くの世界遺産地には、その土地の顔というべき方がいて、私に、条約という国レベルの行政からでは理解しきれない多くのことを教えてくれたことも、得難い思い出です。

「豊かさにつながらない」と地元が不満を口にすることも

ここで、世界遺産として登録されている案件が少ない地域のひとつとして優先順位の高い太平洋地域の国、ソロモン諸島の自然遺産、東レンネル（1998年登録）を見てみましよう。

東レンネルは、ソロモン諸島最南端の島、レンネル島の南3分の1を占める地域で、長さ86キロメートル・幅15キロメートルの島は世界最大の隆起サンゴ環礁でもあり、面積約3万7000ヘクタール、3海里に伸びる海洋地域からなります。

環礁上の、かつてはラグーンだった太平洋島嶼部最大の湖（1万5500ヘクタール）、テガーノ湖があります。湖は汽水湖で、険しい石灰岩の島々や固有種が多く含まれ、島の大部分は、林冠の平均高20メートルの密林で覆われ、頻繁に訪れるサイクロンの強い気候効果とあわせ、科学的研究にも重要な場所です。東レンネルは、森林伐採、外来侵略種、ココナッツ、カニやその他の海洋資源の過剰搾取、気候変動、法律、管理計画の不備などの問題から危機遺産にもなっています。

この自然遺産地域では、先住民の方々に慣習的な土地所有権があり、その管理下にあって登録された最初の案件でもありました。世界遺産地域には4つの村落と12の部族が居住し、ほぼ自給自足の生活を行っていると言われ、信仰も異なっています。

2018年5月3日、世界遺産センターは「東レンネルのツフヌイ族」から手紙を受け取り、最近の同族の評議会で「東レンネルの世界遺産からすべての慣習的な土地を除外する」ことを決定したと報告されました。

ソロモン諸島の自然遺産、東レンネル（©UNESCO）

手紙はまた、東レンネルの世界遺産登録と、その後の世界遺産としての地位に関するすべての過去の交渉は、「多くの土地地域を所有する部族ではなく、選出されたグループによって行われた」と述べていました。さらに、ソロモン諸島政府がこの地域を２０１０年の保護地域法に基づいて保護地区と宣言していることに反対すると言っています。

東レンネルは、先住民や地域のコミュニティーが世界遺産登録地域に生活の糧《かて》を多く依存している例です。国家間の条約である世界遺産システムが中央政府主導で行われた結果、その登録の過程や、以後住民の人々が経験する多くの変化を、予《あらかじ》め十全に話し合うことができず、世界遺産になったことで、これまで可能であった域内での動植物など自然資源の利用やアクセスが難しくなりました。

また、島の登録されていない地域においては開発が自由に進められているのに、登録地域では道路一つでも大きなアセスメントを行わねばならないなど、制限の方がはるかに多く、豊かさに貢献していない気がする、という住民の方の不満につながるという事態をあらわしています。

もちろん、先に述べたような自然生態系のグローバルな重要性などを見ると、自然遺産として東レンネルを守ることに大きな意義があることは確かでしょう。しかし、その周辺に住んでいる人々に、どんな利益や幸福を生むことができるのか。また長期的視野で見て、世界遺産保護の義務を果たすことにどのように意義を感じていただくことができるのか。

それは、この地域を守る担い手である人々に関する大きな課題として、これからも世界遺産の挑戦であり続けると思います。

マレーシア・ジョージタウンの成功事例

世界遺産ブランドをてこに、地元の人々との関係を強め、持続可能な開発に貢献する取り組みの例として、最後にマレーシアのジョージタウン（「マラッカ海峡の歴史的都市、メラカとジョージタウン」の構成資産の一つ・2008年登録）について、お話ししたいと思います。

私は世界遺産専門官として、またそれ以前に10年間ユネスコのミュージアムプログラムの主任を務めた間、ミュージアムと世界遺産をつなげるプロジェクトをいくつも展開してきました。

そのハイライトはメコン3国（カンボジア、ラオス、ベトナム）[*20]や、シリアとエジプトの国立博物館のコレクションを通して文明間のつながりを語る「文化間の対話のためのミュージアムプログラム」[*21]などでしたが、その続きとして、世界遺産センターに移ってからも、マレーシアとフィリピンの世界遺産を、ミュージアムを媒体にしてつなぐプロジェクトを行っています。

ジョージタウンは、マラッカとともに、マラッカ海峡の植民地時代の歴史的町並みの顕著な例であり、東西を結ぶ貿易都市であった過去から生じた歴史的、文化的影響が今も残

マレーシア。マラッカ海峡を眺める
（ⒸCEphoto, Uwe Aranas）

る魅力的な街です。

英国とヨーロッパから中東、インド亜大陸、マレー諸島から中国へと広がった貿易活動からもたらされたさまざまな文化、宗教の共存による多文化圏と伝統のもたらす豊かさは、アジアでも屈指のユニークな場所といえます。マレー諸島、インド、中国の文化的要素がヨーロッパの文化的要素と混交する過程で、オランダ、ポルトガル時代に建てられた建築物はもちろん、食文化や祭礼などの生活習慣にも、ほかには見られないユニークな特徴が表れています。

ジョージタウンの世界遺産登録地域は１０９・38ヘクタールの中心地域と１５０・04ヘクタールのバッファゾーンで構成され、何世代にもわたって営まれる商業施設を兼ねた住宅、何百年も前と同じように利用されている礼拝所など、合計５０１３の建物があり、モスク、中国の寺院、インドの寺院、教会など、37の礼拝所があります。

重層的文化の特徴は、特に宗教的建造物が多いジャラン・

マスジド・カピタン・ケリング（Jalan Masjid Kapitan Keling）とレブー・キャノン（Lebuh Cannon）に顕著にみられます。リトル・インディア地区では、カレースパイスの香りと、華やかなサリーがひしめく光景が見られ、ウェルド岸（Weld Quay）に沿った地区では、桟橋が有力一族の姓にちなんで命名されており、チャウラスタマーケット、キャンベルストリートマーケットでは、いろいろな文化体験ができます。

上記のようなさまざまな民族の伝統を継承する住民が構成する町に存続する多文化コミュニティは、毎年7月に開催される遺産祭で、それぞれの文化や食の伝統を披露したり、ココナッツを破壊する催し、戦車行進のあるタイプサム、オペラ上演や人形劇などを中心に1カ月続くハングリーゴーストフェスティバルなど、観光客を多くひきつける目玉行事もあります。

商業都市としての活気も健在です。お線香、ソンコック（円錐形の帽子）、靴、時計類、服、籐《とう》製品、人力車など、地元の職人さんやビジネスオーナーが、地元の人々や観光客に品質の高い製品を提供しています。商店街を歩くと、私が小さかったころの昭和の雰囲気を思い出す気もしました。自分の選んだインド製の布で、マレー風のチャイナ服を仕立て屋さんに作ってもらうこともできました。

この町を訪れて、プロジェクトのサイト側責任者として一緒に仕事をさせていただいたジョージタウンの世界遺産保存機構*22のディレクター、アン・ミン・チーさんは、これまでに会ったたくさんの世界遺産マネージャーの中でも、ひときわダイナミックな女性です。

食いしん坊な私が忘れられないような、珍しくもおいしいフュージョン料理をたくさん食べさせていただきながら、もともと経済やマーケティングの勉強をした彼女が、このポジションで苦労しながらも何よりも楽しんでジョージタウンの現在を応援している様子をお聞きしました。

歴史的な街並みの保存の難しさについては、1章にもカイロやシャフリサブスについて書きましたが、ジョージタウンはそれらの都市よりも少し規模が小さい分、マネージャーである彼女と、その下で働くスタッフたちが積極的に住民の皆さんと関わろうとするスタンスもあり、町との結びつきが大変強い印象を受けました。

私の出張中、ミン・チーさん自らの案内により、街の商業地区や礼拝所、伝統的住宅などを訪問させてもらいましたが、どこでも彼女はよく知られており、誰とでも気さくに会話をしていました。街で見せてもらったさまざまなハイライトの中でも、ババニョニャ民族（移民としてマレーシアに来た中華系の人々が、現地のマレーシア人と結婚して生まれてきた混血の男の子をババ、女の子をニョニャと呼ぶところから、このような中華系の混血の子孫たちを総称する）に関するお屋敷やお料理はすばらしいものでした。

その中でも「ペラナカンハウス」として有名なThe Pinang Peranakan Houseは、19世紀末に建てられた中華系のキャピタン（この地域のリーダー）のお屋敷で、一見に値する場所です。ババニョニャスタイル特有の大きな中庭、中国の彫刻技術で華麗に飾られた木製の衝立の数々、英国製のフロアタイル、シノワズリのティーセットのコレクション、スコットランドの鉄製品など、1000点以上の収蔵品で飾られる屋敷全体が文化の融合によって生まれる豊かさを体現する、豪奢《ごうしゃ》なミュージアムとして保存されています。

鳳凰《ほうおう》やペオニアの美しい装飾が目を引くカムチャンと呼ばれる蓋つきの壺、スリッパ、ティーセットなど、目移りして思わず長居してしまうお店や、歩き疲れたときにおいしい冷たい飲み物を出してくれる由緒ある木造のティーハウスも周辺にたくさんあります。

仕事で大事なのは「共感力」

最近ミン・チーさんが、「自分は2016年ごろから地元のビジネスオーナーたちに、収入源を多様化させる必要があると言ってきたが、観光業で簡単にお金を稼げる時代は過ぎたことを皆が痛感している」と言っていました。

ＣＯＶＩＤ－19の影響で、政府の正式なサポートを受けていないＡｉｒｂｎｂなどは苦境で、ホテルも、観光客ではなく国内からくるビジネスカスタマーに向けた長期滞在プランなどにシフトしているとのことです。

具体的には、ＣＯＶＩＤ－19による苦境を経て、ジョージタウンがあるペナン州政府が後押ししているGeorge Town New Normalプログラムを通じ、ミン・チーさんのオフィスが、ローカルビジネス支援、遺産サイトの修復、遺産ビデオ動画部門の３つの分野で、プロジェクトを募集しています。

ローカルビジネス支援はデジタルプラットフォーム上で新規顧客を開拓したい10年以上の実績のある地元企業を支援対象とし、ジョージタウン・ユネスコ世界遺産域内にある約３０００の地元企業と、世界遺産の文化・金融生態系の一部である５０００の地元企業にアプローチしています。

また、ロックダウン中、再オープンをより価値の高いものとするため遺産要素の保存修復を行いたい有資格者またはテナントに対して、最大１５００リンギットの１回限りの金銭的払い戻しが行われ、遺産施設での小規模な修理とメンテナンス作業を助けます。

３つ目に、文化遺産の当該関係者がＩＴを使って市場を拡大する力をつけるため、ペナンに拠点を置く文化遺産関係者で主な収入源としてスキル、知識、サービスに依存しており、デジタルマーケティング戦略をまだ策定していない人を優先して、スキル、知識、工芸プロセスを共有するために、5分から20分のビデオを撮影して応募してもらい、入賞者には資金援助のほか、ビデオ撮影技術およびデジタル共有プラットフォームを通じて支援します。また送信された動画やビジネス情報はGTWHIのウェブサイトやソーシャルメディアチャンネルで宣伝されます。

これら地元民を大きく巻き込んだ精力的な活動によって、世界遺産のブランドを有効活用し、経済的にも、心情的にもジョージタウンに大きな活気を生んでいます。

毎日、いつ寝ているのか不明なほど忙しいミン・チーさんが私に言った言葉の中で忘れられないのは、自分の世界遺産マネージャーとしてのモットーは共感力（Empathic）である、ということです。それはまさに、私自身もあらゆる締約国に対する業務の中で大切にしてきたことだからでした。

世界遺産の業務には、さまざまな人々の思惑が絡んできます。世界遺産条約が求めること、国家が行いたいこと、地元の人々が希望していること、遺跡を守る人々が大切にしていること、若い世代がこれから目指すこと……そのすべてが最初から一致することはほとんどありません。

時には国家の強い意志の下で、一人一人の生活や世界遺産そのものも、二次的な重要性しか持たないこともあります。すべての関係者を満足させることができなくても、より多くの人たちが当事者として自覚を持ち、自分ごととして考えてもらうことができれば、より長く、より強く、世界遺産は守られていくと思います。我々の役割はそれを可能にするようなものでなければならないと思っています。

日本人の皆さんに、世界遺産のためにしていただきたいこと

これまで、採択50年を迎えた世界遺産条約が、制度上、さまざまな課題を抱えていることをお話ししてきました。これらの課題の克服実現には、まだ長い時間がかかることもあるでしょう。

しかし、世界遺産のためにできることは、国同士が交渉することだけでは決してありません。

国と国との間で結ばれる約束事と相互扶助の原則に立つ国際条約ですが、その名前と概要がこれほどに一般市民の方々によく知られている条約もないと私は思っています。

世界遺産のことをもっと知りたい、訪れてみたい、と思ってくださる皆さんが、世界遺産を守り伝えるため、できる範囲でのご協力をお願いしたいと思っています。

日本の国民の皆さんの税金は、前にも書きましたが、ユネスコへの拠出金や信託基金の形で、ユネスコの活動に大きく貢献しています。それだけでも、本当にありがたいことです。

さらに、わたしたち一人一人ができることは本当にたくさんあります。

旅行者として世界遺産を訪れるときは、毎日でなくてもよいですが、なるべく地元の、それも環境をいつくしむようなスタンスの事業者の経営する宿舎を探して泊まっていただければ、小さなビジネスも生き残れるでしょう。

地元の味を進んで紹介したり、ローカルの製造者を支援しているお店やレストランでサービスや商品を買っていただくこと、食事をしていただくことも大事です。

健康で丈夫な方は、大型バスで一日にひとつの遺跡を駆け足で回って夜には大型ホテルに泊まり、翌日には別のところに移動する形態よりは、数日間一ヵ所に滞在して、地元にお金を落としていただけたら嬉しいです。

滞在中は、壊れやすい古い遺跡に立ち入る時は公式ガイドを頼むか、当局の出しているガイドラインに沿って訪問し、落ちているものを拾ったり持ち帰ったりはしないこと。

ごみはお持ち帰りしていただくこと（この点は、世界に冠たるマナーの上級者・日本人の方々にわざわざ申し上げる必要はないと思いますが……)、滞在国によっては街中でもふさわしい服装を心がけ、宗教的施設や遺跡や町の中で静かに行動すること、などなど、ほとんど常識の範囲内ではありますが、このような心遣いをしてくれる訪問者を、その国の人々は良く見ているものです。

グローバルに働くということ

最後に、ここまでちょっとお堅い話をたくさんしてきてしまったので、私がユネスコの専門官としての、現在に至るまでの年月を振り返ってみたいと思います。

私は帰国子女でもなく、英語もフランス語も、学校で習ったものです。15歳の時に住んでいた市のティーン親善大使に選ばれ、アメリカの姉妹都市に派遣してもらい初めて海外に出ました。このときの経験は衝撃で、将来は必ず日本の外を経験したい、と思ったのでした。

高校のころはバブルが崩壊している最中でしたが、担任の先生に、「将来国連で働きたいが、大学では国際政治などを専攻した方が良いだろうか」と聞いたところ、自分の好きなことを勉強するのが一番です、と言われました。私にとってはそれが歴史の勉強だったわけで、古代史や考古学、碑文学を専攻し、英語、ドイツ語、フランス語、ラテン語、イタリア語を程度の差はあれ学び、学部の時には語学専攻でないのに珍しい例としてすでにフランスに留学していました。

大学院に在学中、フランス政府給費留学生試験に合格し、パリのグランゼコールと呼ばれる特別大学校のひとつ、高等師範学校に入れてもらいました。英語力はありましたが、フランス語で博士準備課程まで進む中で、国連で働けるフランス語の土台が出来上がりました。その後、外務省から派遣されてパリの日本大使館で文化アタッシェとして数年働き、27歳の時ユネスコに競争試験で採用されました。

歴史学や考古学は、国連では必ずしもポピュラーな専攻とは言えません。しかし、世界遺産やミュージアムという分野が職掌にあるユネスコが、パリにあったこと、国際機関への日本人職員の増員を目指す日本政府の後押しがあったこと、私にとってとても運が良い状況でした。

ユネスコは原子力から気候変動まで、膨大な種類のテーマを扱う国連の専門機関のほんのひとつにすぎません。そして、拠出金の額に比して日本人職員の数はユネスコを除くほかの組織ではいまだに「基準以下」なのです。国際機関が働きやすいかといえば、場所にもよるでしょうが、基本的に待遇はよく、家族手当、子女教育や母国への帰国手当なども あります。

また、ワークライフバランスの面で言えば、時期や仕事の種類にもよりますが、日本の平均的な組織に比べれば残業は少なく、休暇は支給されている分（年30日）をすべて消化しても誰も文句は言いません。

世界中のいろいろな文化や人に出会ってみたいという方には、国連は理想の職場かもしれません。ユネスコでの20年以上の年月の間には、たくさんの場所と人との出会いがあり、本当に多くのことを学びました。

これまでに7カ所で働き、上司、部下、同僚ともにあらゆる地域の出身と異なるバックグラウンドを持つ個性的な人々と日常を共にしてきたわけですが、一番最初の上司だったロラン・レヴィ＝ストロース氏は、名字からわかるようにフランスが誇る人類学者クロード・レヴィ＝ストロース氏の息子さんでした。

日本文化がとても好きということで、よく日本の話をしました。私のことを、「ユネスコで最もフランス人らしい日本人」とよく言っていましたが、それはどういう意味だったのか深く尋ねることはしませんでした……。

その次に、前FAO（食糧農業機関）事務局長の娘ガリア・サウマ＝フォレロ女史に指導していただきました。ガリアさんとは、カンボジアのアンコールで家族ともどもバカンス中にお会いしたこともあり、私が産休から戻った翌月、ただちに2週間の出張に行くようにとすすめ、今ここで、ワークモードに戻っておかないと、2度と子供から離れられなくなる危険があるから、と同じ男の子の母ならではのアドバイスをもらったことを今でも覚えています。

息子が生まれてから幾度目かの出張から帰ってきて家のドアを開けたとき、まだ言葉は話せなくても歩くようになっていた息子が、満面の笑顔でこちらに来てくれたことを今でも覚えています。その息子も、昨年で大学生となり、家を巣立っていきました。

その年月の間、途切れることなく仕事をし、子育てもすることができたことを思い、職場としてのユネスコに大きな感謝を感じています。

才能と個性、馬力のある女性が家庭とキャリアを両立し、数多く活躍しているのもユネスコの特徴です。ただ、伴侶がどこでも働けるタイプのお仕事だったり、ひとつの国にだけ足場を限定しないで済む方が、国際公務員のライフスタイルにとっては生きやすいかもしれません。

忘れえぬ職場の人たち

私がユネスコに来たころ文化局事務次長だったアルジェリアの考古学者ムニール・ブシュナキさんは、松浦事務局長の信頼も篤く、高い専門性のうえに、誰もが彼の話であれば耳を傾ける、素晴らしい外交官としての才能をお持ちでした。

私が古代ローマの東方属州を研究していたので、北アフリカの考古学遺跡などの話もよくしました。

ブシュナキさんの朋友で、チュニジアの元文化大臣で、アンコール国際調整委員会のコミッショナーを30年近くつとめられているアゼディン・ベシャウシュさんには、私がユネスコ1年生の時、1カ月近い長期のカンボジアへのミッションに連れて行ってもらい、国家元首、大臣、高官の皆さん、その他多くの関係者たちとの協議に付き添わせていただいたおかげで、人を動かす話し方、交渉の仕方、難しい問題についての取り組み方など、その後の仕事のすべての基本を学んだといっても過言ではありません。アラブ地方出身の皆さんは、日本的には重んじられる丁寧で細かい仕事には一見無縁のように見えて、最初は面食らいますが、そのダイナミックさ、目的達成のための交渉の周到さには、感じ入ります。

ヴェネツィア出身の建築家、フランチェスコ・バンダリン元文化局次長とは、いくつもの難題を乗り越えて第1回ユネスコ・ミュージアムフォーラムを中国で一緒に成功させることができたのが良い思い出です。そのころ私がSNSのアイコンを、ノーベル賞作家オルハン・パムクの『無垢の博物館』を読んでいる画像に変えたところ、ミーティングの際にそれを話題にして、すぐにアマゾンでその本を購入する、好奇心とフットワークの軽さが印象的でした。

前世界遺産センター所長、メヒティルド・ロスラーさんにも、ミュージアム、世界遺産と続けてお世話になっており、共同執筆も何度かしました。世界遺産に関する知識は膨大としかいいようがなく、担当官である私たちがびっくりするほど個々の遺産について詳細やかかわった人を記憶していました。

また、政治的に難しい局面に至った時の鮮やかな判断力、物事を個人的に取らないところは、いつも学ぶところが大きいです。ドイツ人ならではのさばさばした、時には率直な物言いは、意外にもヨーロッパ人にはきついと受け止める人が多いようですが、日本人とは相性が良いようです。

松浦元ユネスコ事務局長には、今日私があることのすべてに関して言い尽くせない恩義があります。その驚異的な記憶力、いつも変わらない笑顔、膨大な仕事量をこなしながら、外交的な配慮をあらゆるところまで行きわたらせることを可能にする、常に安定した精神的な強靭《きょうじん》さは、たゆまぬ健康管理と、好奇心に動かされた学びを続けていらっしゃることから来ていると、大使館時代から感じていました。

ユネスコに来たばかりのころ、官房に呼ばれ数カ月組織の全体像を勉強させていただいたことは、個性的な官房メンバーと知り合えたこともあって忘れえぬ思い出です。

私と一緒に働いてくれた人たちも、一人一人について思い出せば無数の数になってしまいます。

最近、ベトナムの世界遺産ホー城塞に行った同僚が、博物館に飾られた私の写真を見つけたといって送ってくれました。私一人にできることはとても小さく、一緒に働いてくれた人たちがいるからできたことのほうがずっと多いですが、相手側に感謝してもらえたのだと感じることが、これからもこの仕事を続けていく原動力になるでしょう。

我々はどこにいても、グローバルに生き、消費し、働いている

25年近く国際関係の仕事をしてきて、日本人に対する世界の認識は総じて良いものだと感じます。

それは、日本の国際協力や企業のお金が投下されているという以上に、仕事で、観光で、直接に関わった日本人への印象がそのまま、彼らの感じ方に反映されているからでしょう。

また、若い世代の世界市民には、日本のハイカルチャーに劣らない人気があるのがサブカルチャーであるゲームや漫画、アニメの世界だと感じます。私のところでインターンやコンサルタントとして働いてくれる若者が、日本のゲームが好きで、ゲームの中でしか使われないような日本語の単語（例・つるぎ＝剣）を知っていたり、漫画を読むため日本語を勉強したりするのも、日本のソフトパワーの面目躍如たるところというものでしょう。ユニクロや無印良品の店舗は、いつもパリジャンでにぎわっています。ラーメン屋さんをはじめとする日本レストラン街には、平日も休日もお昼には長蛇の列ができています。

「最近日本人の若者はあまり外に出たがらなくなった」というような報道を読んだりすることがあります。それはけして悪いとは思いません。

自分のいるところに価値を見出し、できることをし、毎日を大切に生きることが、すべての基本にあると思います。そして、かつてないＩＴの発展により、どこにいても、我々はある意味ではすでにグローバルに生き、消費し、働いているということもできるでしょう。

そのうえで、しかし、世界は今、これまでとは違ったライフスタイル、ビジネスモデル、考え方を切実に必要としているのではないかと思うことがあります。私がユネスコに入ったころ、統一された価値観や文化背景によるビジネスのルールがないことに最初は戸惑いましたが、慣れてくると、いろいろなやり方に自分で対処方法を見つけて適応していくことの楽しさを発見しました。

若いころは、外にある文化を吸収し同化を楽しんでいましたが、今は、日本人であることを基本に、たくさんの文化に接することができた自分として、ささやかでも、そこから生まれる何か違った価値を提供していくことに興味があります。能力ある日本の若い世代の人々が、どう世界に影響を及ぼしてくれるのか。それを見ていくのがとても楽しみです。

これから、私にはまだ20年近い現役時代があります。人間の性《さが》としての美の創出、人間を超えたものが作り出す自然の美と恩恵という両方を、王侯貴族として所有したり自ら創造したりすることはできなくとも、私という個人が、世界遺産を守る人々とのかかわりを生き、「未来への贈り物」として遺していくことのお手伝いをすることによって、この世に何か良い影響を与えられたら、といつも考えています。

付録　私のお薦め世界遺産とその見どころ

本文中に出てきた世界遺産に加え、あえて少しマイナーでありながら、私がお薦めする世界遺産を、実際に訪れたところを中心に挙げてみたいと思います。

古代都市ダマスカス（シリア）

２０１１年から内戦が続き、訪れることも難しくなったシリア。２０１３年から危機遺産に登録された、ローマ時代の隊商都市として名高い**パルミラ**、**アレッポ**などぜんぶ紹介したいところですが、ここでは私がユネスコの仕事の中で訪れた古代から続く歴史的都市の中でも最も美しく、豊かな文化の伝統が今日まで残る街のひとつ、首都**ダマスカス**についてご紹介したいと思います。２０１１年を最後に、再訪できていませんが、一日も早く平和が戻ることをいつも祈っています。（カラーページ参照）

紀元前３千年紀ごろに都市として成立したとされるダマスカスは、世界で最も古くから人間の居住が続いている都市のひとつで、古代から、アフリカとアジア、東洋と西洋の交差点としての地理的重要性を持つ文化的、商業的中心地だったことが発掘から明らかです。中世には、都市の特定の区画が特別な工芸品の製造販売に特化され、工芸品産業の中心として、特に刀剣やレースを専門として繁栄しました。ヘレニズム、ローマ、ビザンチン、イスラムなど様々な文明に由来する100以上の建造物によって、都市の歴史の移り変わりを見ることができます。ウマイヤ朝時代にはその首都としてイスラム文明の中心地となりましたが、それ以前の特にローマとビザンチン時代の痕跡が多数残されています。今日まで残る都市のひな型はローマ属州時代の計画に基づいたものですが、ギリシア都市における方向設定を受け継ぎ、すべての通りが南北東西に走っています。

最も古い建造物としてローマ時代のユピテル神殿、城門と城壁の部分の遺構があります。ローマの神殿、キリスト教のバシリカの上に建造されたウマイヤ朝時代の8世紀の大モスクは比類のない大建築ですが、これ以外には意外にもウマイヤ朝の名残は少ないといえます。都市遺産の大部分は、16世紀初頭のオスマン帝国の征服後にさかのぼります。

ダマスカスで忘れられない思い出は、ローマの東方属州を研究していた私としてはどれも甲乙つけがたい遺跡や遺品はもちろんですが、古代から続くといわれる、金銀の細い糸をレースのように加工するフィリグランと呼ばれるアクセサリーを売る一角でどれを買おうかさんざん迷ったことや、市街地を歩いているときに寄り道して見せてもらった、けして華美ではないですが、きちんと手入れが行き届いた中庭や植物に彩《いろど》られた美しい個人の住宅の風景です。

最も正統的なアラビア語を話し書くといわれるシリアには、そのころアラビア語を学び始めた私はいつか語学研修にも来たいと思っていたものでした。そして、歴史ある壮麗なたたずまいの中にも活気にあふれたダマスカスの中央市場で、タービン機械で魔法のように長く伸びるアイスクリームにピスタチオがびっしりとまぶされたものを食べさせてもらったことも、昨日のように思い出されます。

最近、パリのモンマルトル近くにレバノンのアイスクリーム屋さんができて、似たものを出していますが、あの薄暗いダマスカスの市場で、一日みっちりと働いた後でプロジェクトに関わってくれていたみんなと食べた味とは違うように思います。

そういえば市場の中にはとてもセクシーな下着ばかりを売っているお店があって、街行くシリア人の女性たちや、遺産関係の女性幹部たちはブルカを着ている方が多く、会議中でもお祈りの時間になると祈禱《きとう》室に消えてしまっていたので、いったい誰が買うのだろうととてもびっくりしたことを覚えています。そのころから一緒に仕事をして、今はフランスに亡命しているシリア人の考古学者の友人が、みんな、ブルカの下はああいうのを着て

ダマスカス国立博物館のファサード

いるんだよ、と言ったことを思い出すと、本当かわかりませんが、今でも笑ってしまいます。

また、ダマスカス国立博物館には、シリア一帯がメソポタミア文明の時代から通商で栄えた都市を抱えていたことを証明する素晴らしい美術品のコレクションがあります。マリから出土した、ウルの王からの贈り物と思われる、アフガニスタン原産らしいラピスラズリと黄金で作られた神鳥アンズーのペンダントヘッドなどは、その筆頭でしょう。

フランキンセンス（乳香）の地（オマーン）

リゾートとして知られるオマーンのサラーラ近郊にある世界遺産。ワディ・ドーカの乳香樹園、シスルの隊商オアシスの遺跡、貿易港コル・ロリとアル・バリードの４つで構成され、古代と中世を通じて世界でも最も重要な貿易商品のひとつであった乳香の交易について知ることのできる遺産です。

乳香は、神殿儀礼や高貴な女性の美容など、古代エジプトでも珍重され、またイエス・キリスト誕生のさい、東方の三博士が持参した贈り物の中にも数えられています。このあたりは日本ではあまり知られていませんが、新石器時代以来、南アラビアに栄えた文明の遺物が多く見られます。沿岸後背地で自生する乳香木の樹脂は、ラブ・アル・ハリ砂漠に近い前哨基地のシスルを経て、コル・ロリやアル・バリードの港から出荷されました。港は要塞《ようさい》化されており、乳香が価値の高い商品だったことがわかります。コル・ロリ港はサラーラから東に40キロメートルのところにあり、急傾斜を進んでいくと3つの門扉を持ち、監視塔に囲まれた巨大な北側のエントランスを望むことができます。一方、インド洋に面したアル・バリードの港は、中国（明朝）や他の国々由来の遺物により、「海のシルクロード」上で乳香が取引された港としての重要性が証明されています。

要塞化された港湾都市は13世紀に何度か部分的に破壊されましたが、その後15世紀後半までに、ポルトガルなどヨーロッパの交易国が敷いた貿易ルールの抜本的な変化によって、決定的に衰退しました。サラーラの北約１８０キロメートルの砂漠の中にある、農業オアシスであり隊商の中継地であったシスルは、乳香が運ばれてくる後背地から港までの道程

フランキンセンスの要塞の遺跡（©UNESCO）

での給水のために重要な場所でした。今でも猛暑の太陽のもと、沖積地に広がるワディ・ドーカの樹林では乳香が産出され、私が訪れたときは、乳香の香りをかがせてもらったりすることもできました。前述の要塞の遺跡に沈む夕日を眺めながら、黄昏時《たそがれどき》に、乳香の香りをつけた蜂蜜で煮込んだ羊肉などのお料理をいただいたことも、忘れられない思い出です。

サラーラは、樹木や水場が多く、瀟洒《しょうしゃ》なホテルが立ち並ぶ、アラブの高所得層が多く訪れるゆったりとしたリゾート地ですが、そこから少し足を延ばすと、このようにあまり知られていない珍しい遺跡があり、乳香やアラビア半島の文明についても知ることのできる博物館も複数ある穴場です。

次に紹介するバーレーンのマナーマとはしごして、知られざるアラビア半島の古代史について、発見するのもおすすめです。

カルアット・アル・バハーレーン——古代港とディルムンの首都（バーレーン）

２０１９年、世界遺産委員会の開催地となったため、訪れることができたバーレーンの首都マナーマから5キロメートル強ほどの位置にある**カルアット・アル・バハーレーン**は、日本ではこれもまだあまり知られていない、湾岸地方の古代文化ディルムンの首都です。シュメール語の古代文献でしか存在を確認されていなかったディルムンは、ギルガメシュ叙事詩から引用され聖書にも語られた大洪水から、ただ一人生き残った人間（ジウスドラ、ウトナピシュティム、ノア）が王として住んだ町とされてきましたが、発掘によって実在が確認されたのです。

中心的な遺構カルアット・アル・バハーレーンは、「テル」と呼ばれる人工的な丘で、紀元前２３００年頃から16世紀まで人が居住していたことを証明する連続的な考古学層が見られます。何世紀もの間、貿易港としての重要な役割を果たしてきたこの遺跡は、約25%が発掘されており、住宅、公共・商業・宗教・軍事施設など、さまざまな構造が明らかになりました。

古代のディルムン文化の繁栄ははるか昔に終わりましたが、その後のイスラム期におい

古代文明ディルムンの都市だったカルアット・アル・バハーレーン（Peter Dowley photo）

ても、引き続きペルシア湾岸における貿易の中心地であったことを偲《しの》ばせます。12メートルの高さの丘陵の頂上にはポルトガルが建設した砦があり、遺跡の名称であるqal'a（砦）の由来ともなっています。古代の海洋建築の例として珍しい、灯台とも考えられている海上の塔は、この地方でも唯一の例です。

　また、この一帯は今でも垣間《かいま》見ることのできる椰子《やし》樹園と庭園からなる内陸の伝統的な農業形態や、初期のインダス文明やメソポタミア文明（紀元前3000～前1000年紀）、その後中国や地中海の文明（紀元3世紀から16世紀まで）を初めとする多様な地域との間の海上貿易をつなぐ中心地であり、政治的な重要性も大きく、紀元3世紀の沿岸部の要塞や前述の砦など、異文化の交流から生まれた数々の建築物や防衛施設が見どころです。例として、「テル」内部にみられる、なつめやしのシロップを製造するためのmadrasaと呼ばれる建築物は、世界でも最古の例であり、紀元前1000年紀から続くなつめやし農業の伝統を垣間見せてくれます。

また、湾岸諸国では最近、自国の文化的伝統を伝え、文化的外交力を増大させるため巨大博物館の建造がブームですが（アブダビのルーブル博物館の分館なども有名です）、首都マナーマには、ディルムン文化を発掘物やかつての郡の模型から紹介する素晴らしい博物館が建設されています。こちらもぜひ訪れていただきたいと思います。

天壇《てんだん》：北京の皇帝の生贄の祭壇（中国）

世界的にもアジアでも世界遺産の登録最多数を争っている中国ですが、文化自然遺産ともにすばらしいラインナップです。**始皇帝陵**、**万里の長城**など誰もが知っている場所のほか、杭州周辺で比較的最近登録された**良渚《りょうしょ》の考古学遺跡**（紀元前3300〜前2300年頃）は新石器時代後期の中国で稲作に基づく統一された信仰体系を持つ初期の地域国家を明らかにしたもので、付随している博物館も見ごたえがありました。

9世紀以来、詩人、学者、芸術家にインスピレーションを与えてきた**杭州・西湖《せいこ》の文化的景観**を、早朝、湖上に張り出した茶庭で伝統的な朝食をいただきながら眺めるのも良い

天への生贄のために建てられた天壇（©UNESCO）

と思います。西湖は、何世紀にもわたって中国のみならず、日本、韓国の庭園設計にも影響を与えており、人間と自然の理想的な融合を反映した一連の景色を創造するため、景観を改善するという文化的伝統の顕著な例です。

明の永楽帝《えいらく》の治世18年、1420年に紫禁城《しきんじょう》とともに完成された「**天壇**」は、現在では庭園として公開されている歴史的な松林に囲まれた荘厳な場所で、その全容、個々の建物の配置が、中国の宇宙論の中心にある天と地の関係、人間界と神界、そしてその仲介者「天子」である皇帝が果たす特別な役割を象徴しています。龍内大街の東側、紫禁城の南に位置し、もともと「天地の祭壇」でしたが、嘉靖帝《かせい》の治世9年（1530年）に、天と地に別々の生贄《いけにえ》を捧げることが決定されたため、特に天への生贄のため、本堂の南に円形の墳丘祭壇が建てられ、治世13年（1534年）に天壇と改名されました。現在の273ヘクタールの天壇は、清朝の乾隆《けんりゅう》帝と光緒《こうしょ》帝が建て、1749年に遡るものです。

天壇は、南に天井の開いた円形の墳丘の祭壇、北に円錐屋根の天の丸天井があり、さらに北にある3層の円錐形の屋根をもつ豊作祈祷堂と聖なる道でつながっています。明・清朝の皇帝たちは、ここで天に生贄を捧げ、五穀豊穣《ごこくほうじょう》を祈願しました。西側には生贄を捧げた後に断食に使われた殿堂があります。天壇周辺の世界遺産登録地域には、合計92の古代の建物と600の部屋があります。

アボメイの王宮群（ベニン）

アフリカの世界遺産についても、日本ではあまり知られていないものが多いと思いますが、ベニンのこの世界遺産は、1625年から1900年にかけて、12人の王が治めたダホメ王国の首都、**アボメイの王宮**を保存するものです。独自の領土を持っていたアカバ王以外の11人の王たちが、同じ一帯にそれぞれの王宮を建設しました。

ダホメ王国は、「王国は常に拡大されるべし」と唱える創設者ウェグバジャ王により17世紀半ばごろに興《おこ》りました。1625年から1900年まで続いた王朝は、アフリカの西

アボメイの王宮のひとつ（©UNESCO）

海岸の最大勢力のひとつであり、王宮群は47ヘクタールに広がる10の宮殿から構成されています。そのうちのいくつかは隣接して建設され、他のものは王位の継承により、重複して建てられていました。アジャ=フォン文化の原則にのっとり、王国の意思決定の場としてのみならず、手工芸技術の発展の中心地や、宝物庫としての機能も果たしていました。先に述べたように、二代目アカバ王の領域だけは、市内の主要道路で隔てられた場所にあり、登録地域はその部分と、他のすべての部分の2つの要素からなっています。

これらの2つの領域は、それぞれ部分的に保存された壁で囲まれており、宮殿は、どれも複数の壁に囲まれた外庭、内庭、最奥の庭の周りに建てられるという、一定の空間様式に従っています。使用されている伝統的な資材と、多彩色のレリーフが重要な特徴です。

今日、宮殿にはもはや人は住んでいませんが、ゲゾ王、グレレ王の宮殿は、王朝の歴史と、植民地勢力からの独立の戦いの歴史を語るアボメイの歴史博物館となっています。ユネスコ日本信託基金により、修復援助を受けたこともあります。

この地域は、奴隷貿易によっても栄えたことが知られています。

ザンジバルの石の街（タンザニア）

私がまだ訪れたことのない世界遺産の中で、行ってみたいと思っている街のひとつ、**ザンジバル**の石の街の風景を、たぶん最初に見たのは巨匠ベルナルド・ベルトルッチ監督の映画「シェルタリング・スカイ」（ポール・ボウルズ原作）の中ではなかったかと思います。（カラーページ参照）

東アフリカのスワヒリ語圏にある沿岸貿易都市の代表的かつ最も美しい例として知られています。都市の枠組み、街並みがほぼ変化なく維持され、アフリカ、アラブ地域、インド、ヨーロッパの異なる文化的要素を1000年以上にわたって吸収した独特の文化を反映する、多くの素晴らしい建物が含まれています。それ以前の先住民族の文化的要素も維持されており、この地域に特有の都市文化を形成しました。

建物は、主にサンゴ石灰石とマングローブ材を使ったもので、狭い廊下を通って広い中庭の周囲に配された細長い部屋の続く2階建ての家は「ザンジバル」ドアと呼ばれる細かい彫刻の施された二重扉や、広いベランダ、内部の装飾などが特徴的です。平屋のスワヒリタイプの家と、ファサードが狭いインドの店舗など、商業地帯である「ドゥカ」の周囲に建設された「バザール」通りに沿ってみられる街の風景も見どころのようです。

ザンジバルの主要な建築物は18世紀と19世紀のものが多く、ポルトガル教会の敷地内に建てられた旧砦、ハウスオブワンダー、スルタン・バルガシュによって建てられた儀式宮殿、聖ヨセフのカトリック大聖堂、奴隷貿易廃止を記念して最後の奴隷市場の跡地に建設されたクライストチャーチ聖公会大聖堂、奴隷貿易商人ティップ・チップの住居、マリンディ・バムナラ・モスク、王家の墓地、ペルシア浴場など多彩です。

狭く曲がりくねった道、海岸に面した大邸宅、公共空間と共に、これらの建物はアフリカとアジアを結ぶ貿易活動を反映した例外的な都市集落を形成しています。特にこの石の街は、歴史的に東アフリカが奴隷貿易の一大地であり、奴隷取引に終止符が打たれた場所であることも、登録理由に含まれています。

カンペチェ州カラクムルの古代マヤ都市と熱帯保護林（メキシコ）

訪れたことは残念ながらまだありませんが、南米で行ってみたいと思うこのメキシコの遺跡は、当初登録されていた3000ヘクタールの古代マヤ都市カラクムルに、自然遺産として森林地帯を加え拡張登録したものです。メキシコ南部のユカタン半島の中央・南部に位置し、現在の登録総面積は33万1397ヘクタール、バッファゾーンは39万1788ヘクタール。

このエリアは、現在ではほとんど住む人もなく熱帯林に覆われていますが、紀元前500年ころから紀元1000年ごろまで、栄華を極めたマヤ文明の中心地でした。文明の崩壊とともに、繁栄していた集落はほぼ完全に放棄されましたが、この地域が事実上過疎地のままであったため、考古学的・生態学的物証も多く残ることとなったのです。

アメリカ大陸ではアマゾンに次ぐ第2の熱帯林の中核であるこの地域は、一見して都市文明の発展には縁遠いと思われる場所で、自然環境への例外的な適応と管理が歴史的に可能であったことを証明しています。

現存する多種多様な遺物により、入植、人口増加、複雑な国家組織化された社会への進化が証明されています。マヤ王朝の中でも最たるカーン王朝の都カラクムルの他、巨大な建築複合体と彫刻モニュメントを持ついくつかの主要な都市部を含む数十の古代集落が発見されています。道路、防衛機構、採石場、水管理機能、棚田などが見られ、生産システムを効率化するため、土地の使用形態を戦略的に変更した様子が、よく保存された古代から続く文化的景観を通してうかがえます。

カラクムルとウスルで行われた発掘調査により、いくつかの巨大寺院型ピラミッドや宮殿の一部、スタッコ（化粧漆喰）による浮彫や壁画、精巧なヒスイの仮面、耳飾りや多彩色陶器を含む装飾品を着けた王や貴族の埋葬形態も明らかにされました。象形文字が記された碑文も、領土の組織や政治史に関する重要な事実を明らかにしています。

自然遺産の部分に目を向けてみると、カラクムルの成熟した森林は、人間と自然の長年にわたる相互作用をあらわす顕著な例です。マヤの古代農業と林業の大部分は、人間による選択と自然システムの再生の複雑なプロセスを組み合わせたもので、現在もこの地域に住んでいる先住民コミュニティの伝統的な慣習は、古代マヤの慣習を今に伝えています。カラクムル熱帯林は大陸で最も柔軟性のある生態系のひとつと考えられ、その特徴は気候変動の影響下で生物多様性保全の目標に貢献する可能性があります。また、多くの固有種や絶滅危惧種の生息地でもあります。

古代マヤ人の絵画、陶器、彫刻、儀式、食べ物や芸術には、この豊かな生物多様性が反映されています。森林地帯は、メキシコ、グアテマラ、ベリーズの森林（セルバマヤ）の中心・接続点として重要で、生物多様性の保全、種の生態学的および進化的プロセスを可能にする回廊を提供しています。

東ヨーロッパでは、1106年にジョージア西部に設立された「ジェラティ修道院」は、中世ジョージアの「黄金時代」といわれるダビデ4世（在位1089－1125）とタマル女王（在位1184－1213）の治世下、11世紀から13世紀にかけての政治的経済成長を反映した傑作です。大きなブロックのファサード、バランスの取れたプロポーション、外装用のブラインドアーチが特徴です。中世最大の正教会の修道院のひとつであるジェラティ修道院は、最も重要な科学、教育、文化の中心地のひとつでした。修道院は、12世紀から17世紀の壁画で装飾されており、本教会の後陣には、大天使に挟まれた聖母子を描いた12世紀のモザイク画があります。

また、今は戦火に巻き込まれていますが、ウクライナの「リヴィウ歴史地区中心部」は、中世後期から繁栄した東ヨーロッパ屈指の芸術都市で、貿易と政治発展に有利な地理的位置にあるため数世紀にわたって行政、宗教、商業の中心地として栄えました。13世紀から17世紀にかけて発展した都市形態が、バロック様式とそれ以降の素晴らしい建物とともに、

リヴィヴ郊外の野外博物館にある伝統建築

事実上無傷で保存されていました。また、モスク、シナゴーグ、正教会、アルメニア教会、カトリック教会など、別々の民族共同体のゆかりの場所も保存されていました。現存する建築は、イタリアとドイツの影響を受けた東ヨーロッパの伝統のブレンドで、5世紀に遡る城とその周辺地域、市内中心部を含む主要エリアと、南西の聖ユーリ大聖堂がある聖ユーリの丘の小さなエリアの2つの主要地域で構成されています。

ウクライナとポーランドにまたがる越境連続遺産である「**ポーランドとウクライナのカルパチア地方の木製ツェルクヴァ（教会）**」は、16世紀から19世紀にかけて正教会とギリシャ・カトリックの信者共同体によって中央ヨーロッパの東部カルパチア山脈内に建設された16のツェルクヴァ（教会）をまとめたものです。

ピラミッド型ドーム、クーポラ（円頂塔）、鐘楼を備えたツェルクヴァの建築形態は、山岳地帯に独自に発展した地域社会の建築の伝統と、正教会の典礼の必要性をみごとに適合させた作品です。四辺形または八角形のドームとクーポラをいただく三部構成が水平な丸太を使用して建てられ、木造建築のスキルと構造的洗練を示すツェルクヴァの建築群や民家は、ジョージアのトビリシやウクライナのリヴィヴ郊外にある**野外博物館**でも見ることができます。


最後に、わが日本の世界遺産です。文化遺産を見ると、日本の古代から現代までを歴史的に網羅するリストになっていると思います。この先は、さらに神道など日本独自の宗教観、文化や自然観、他の文明や文化との交流の歴史を個々の建築物に限らずコンセプトとして示す例、自然との共生の顕著な例が登録され、守られていくことを期待しています。

北海道・北東北の縄文遺跡群（北海道、青森県、岩手県、秋田県）は、数千年前に日本列島で育《はぐく》まれた縄文文化の豊かさと、その独特な社会構造を深く理解することができます。日本最大級の縄文集落遺跡で、巨大な柱や住居跡が見つかっている**三内丸山遺跡**（青森県）、円形に並べられた石の配列が特徴で、祭祀の場と考えられている**大湯環状列石**（秋田県）、縄文晩期の代表的な遺跡で、亀ヶ岡式土器が出土している**亀ヶ岡遺跡**（青森県）、四重環状列石を持つ遺跡で、儀式や集会の場とされている**伊勢堂岱《いせどうたい》遺跡**（秋田県）、縄文時代早期の遺跡で、貝塚や住居跡が確認されている**大平山元《おおだいやまもと》遺跡**（青森県）、縄文時代中期の集落遺跡で、土偶や貝塚が発見されている**御所野《ごしょの》遺跡**（岩手県）、円形の土塁で囲まれた墓群で、独特の埋葬習慣が見られる**キウス周堤墓群**（北海道）などですが、私の生まれた長野県諏訪《すわ》近くの尖石《とがりいし》やその他の縄文遺跡も、別々にあるいは合同で追加登録されてもよいのではないかと期待しています。

百舌鳥《もず》・古市《ふるいち》古墳群──古代日本の墳墓群（大阪府）では、日本最大の前方後円墳・仁徳天皇陵古墳や多数の古墳が点在する古市古墳群が広がります。

日本人のみならず外国人の訪日客、親日家なら誰でも一度は訪れてみたいと思う**京都**（清水寺、金閣寺、銀閣寺、二条城）や**奈良**（東大寺、美しい朱塗りの社殿と原生林が魅力の春日大社、阿修羅像を含む多くの国宝を所蔵する興福寺）と**法隆寺地域の仏教建造物**（五重塔や金堂が有名な６０７年創建の法隆寺の世界最古の木造建築群、夢殿の救世《ぐぜ》観音像）についてはもはや改めて語る必要もないと思います。

日本三景のひとつとして有名な海上の大鳥居、平安時代の寝殿造を模した海に浮かぶように建てられた社殿、神事能が行われる日本最古の能舞台、神聖な山とされ登山も人気がある弥山《みせん》を背景に立つ**厳島《いつくしま》神社**（広島県）、金色堂や豪華な仏教建築で有名な中尊寺、浄土庭園が美しい毛越寺《もうつう》などで構成される**平泉―仏国土（浄土）を表す建築・庭園及び考古学的遺跡群**（岩手県）、白鷺城と形容される優雅な姿、庭園で知られる**姫路城**（兵庫県）、徳川家康を祀る豪華絢爛な日光東照宮や、多くの国宝や重要文化財を有する輪王寺、二荒《ふたら》山《さん》神社などが含まれる**日光の社寺**（栃木県）はそれぞれ異なった時代と地域における武家文化の粋を代表する遺産です。

紀伊山地の霊場と参詣道（和歌山県、奈良県、三重県）は、熊野《くまの》古《こ》道《どう》として知られる参詣道で、自然と歴史が交錯する魅力的なハイキングコースです。うっそうとした森林におおわれた複数の巡礼道は歩きごたえがあり、本文中にも登場する世界遺産コンセプトの提唱者であるフランスの文豪、アンドレ・マルロー文化大臣も日本的霊性の象徴と賛美している那智の飛龍神社（那智御滝）は、思わずずっと眺めていたくなるほど印象的でした。熊野本宮《ほんぐう》大社、熊野速玉《はやたま》大社、熊野那智《なち》大社からなる熊野三山は、古代からの信仰の中心地。桜の名所として名高い吉野山、修験道の聖地大峰《おおみね》山、空海が開いた真言宗の聖地で、金剛《こんごう》峯《ぶ》寺《じ》や奥の院が見どころの高野山など。

「神宿る島」宗像《むなかた》・沖ノ島と関連遺産群（福岡県）の沖ノ島は島全体が御神体とされ、女人禁制の島で、4世紀から9世紀にかけての祭祀遺跡が残されています。沖ノ島にある沖津宮、筑前大島の中津宮、宗像市の辺津宮の三宮からなる宗像大社、宗像地域の古墳群で大社に関連する歴史のある新原《しんばる》・奴《ぬ》山《やま》古墳群、宗像の歴史や文化を学べる道の駅むなかたの展示が充実しています。

琉球王国のグスク及び関連遺産群（沖縄県）は、2019年の火災後、現在復興中ですが、琉球王国の中心地であった美しい城郭建築の首里城、広大な石垣と遺跡群の今帰仁城《なきじんじょう》跡、琉球王家の別邸識名園《しきなえん》などを見られます。

長崎と天草地方の潜伏キリシタン関連遺産（長崎県・熊本県）では、現存する日本最古のキリスト教会堂である大浦天主堂、潜伏キリシタンの歴史を辿れる外海《そとめ》地区など、知られざる日本における信仰の歴史に触れることができます。

茅葺《かやぶき》屋根の伝統家屋が立ち並ぶ**白川郷・五箇山《ごかやま》の合掌造り集落の景色**（岐阜県・富山県）には、雪景色、新緑、紅葉など季節ごとに異なる美しさを感じることができます。

富士山―信仰の対象と芸術の源泉（山梨県・静岡県）は、御山はもちろん、富士山を望む富士五湖の景観、富士の神を祀る浅間《せんげん》大社など、日本的な自然信仰を最も顕著に表す例の一つです。

産業遺産としては、日本初の機械製糸工場で、産業革命の象徴でもある**富岡製糸場と絹産業遺産群**（群馬県）。日本海側では**石見《いわみ》銀山遺跡とその文化的景観**（島根県）で、かつて世界有数の銀の産出地として栄えた銀山跡、龍源寺《りゅうげんじ》間歩《まぶ》、大久保間歩など代表的な鉱山の坑道跡を見学できます。

明治日本の産業革命遺産　製鉄・製鋼・造船・石炭産業（福岡県・佐賀県・長崎県・熊本県・鹿児島県・山口県・岩手県・静岡県）は、19世紀後半から20世紀初頭にかけ、日本が工業立国の土台を構築し、のちに基幹産業となる造船、製鉄・製鋼、石炭と重工業において急速な産業化を成し遂げた歴史をたどる遺産です。重工業分野において１８５０年代から１９１０年の半世紀で西洋の技術が移転され、実践と応用を経て産業システムとして構築される産業国家形成への道程を時系列に沿って証言しています。

広島の**原爆ドーム**とミュージアムは、私たちの生きる世界と平和について改めて深く考えさせられる場所です。

日本の世界自然遺産は、今後もっといろいろな場所が登録されていくと思いますが、現在登録されている自然遺産の見どころについて。

原生林に囲まれた5つの湖が点在する知床《しれとこ》五湖、手つかずの自然がひろがり、船からの観光が人気の知床岬、オホーツク海から流れ込む流氷の見学、ヒグマやシマフクロウなど野生動物の生態地でもある**知床**（北海道）、**白神山地**《しらかみ》（青森県・秋田県）の世界最大級のブナ原生林、3つの滝が連なる暗門の滝、青池を含む透明度の高い湖が点在する十二湖。**屋久島**（鹿児島県）には推定樹齢7200年の巨大な縄文杉、苔むした森林が広がる幻想的な景色の白谷雲水峡、落差88メートルの大川の滝のほか、ヤクシカやヤクザルなど、独自の進化を遂げた動物たちが生息しています。**小笠原諸島**（東京都）の透明度の高い海、父島・母島の美しいビーチやザトウクジラやイルカのホエールウォッチングなどを楽しんだり、小笠原固有の植物や動物による生態系の多様性に触れたりもよいでしょう。**奄美大島、徳之島、沖縄島北部及び西表《いりおもて》島**（鹿児島県・沖縄県）では、金作原《きんさくばる》原生林（奄美大島）の亜熱帯の原生林で、独特な植物を観察したり、飛べない鳥で沖縄固有種の代表ヤンバルクイナ（沖縄島）、日本最大のマングローブ群（奄美大島）で、カヌー体験をしたり、ウミガメが産卵に訪れる徳之島などを訪れるのもおすすめです。

あとがきにかえて

小さかったころ、毎週末、母と一緒に地域の図書館に通い、家の近くの公園に来る移動図書館も楽しみでした。多くの素晴らしい本に出会ってきましたが、今日までずっと忘れられない本の中に、今は絶版になっている畑山博著『アステカの少女』（1977年）があります。時空を超えて、滅びたアステカ帝国の記憶を生きる日本人の少年とメキシコの少女の物語です。長じてフランスに留学したのは、古代ローマの東方属州だった地域がかつてフランスの植民地や保護領だったため、研究成果が多いこともありますが、何よりもその一世代前に、社会学・人類学の分野にまで世界的に大きな影響を与えていたフランスの思想家、歴史家たちの燦然《さんぜん》とした仕事に魅了されたからでした。

特に歴史を地域や年代に限定せず、長期的重層的かつ広域的に捉える、『地中海』の作者フェルナン・ブローデルを旗手とする「アナール派」の研究手法と世界観に引き付けられました。あらゆる文化や人間の営みの根本は、出会い、取り込み、形成され変容していく、そのダイナミズムと多様性にこそある――そのメッセージは、視野狭窄《きょうさく》なアイデンティティについての議論や、異質なもの、自らの価値観とそぐわないものを警戒し、排除しようとすることもある、そして時には変化をおそれる世論や集団的感情に対し、個人が知的な自由意志を持ち続けることの大切さを、思い出させてくれるものです。それは、「戦争は人間の心の中で始まるものであるから、我々は人間の心の中に平和の砦《とりで》を築かねばならない」とした、ユネスコの設立憲章にも通じるものではないでしょうか。

第二次世界大戦のような地球規模の惨禍を二度と繰り返さず、人類が相互理解によって平和な世界を築けるように。そんな願いからユネスコは誕生し、敗戦から間もない１９５１年、日本はユネスコの加盟国となりました。経済や産業、インフラ整備など、当時急がれていた物質的な復興と比べれば優先順位が低かったはずのユネスコに、日本は唯一の被爆国として、国際連合そのものよりも先に加盟しています。ユネスコにとって日本は、その黎明《れいめい》期からの力強いサポーターでした。これからも、日本の皆さんが世界遺産をはじめとするユネスコの活動に、関心を持ち続けてくれることを祈ります。

最後に、本書の上梓にあたり、ご尽力いただいた朝日新聞出版の萩原貞臣氏、情報を共有してくれた同僚たち、これまで一緒に仕事をしてくれた国々、人々に心から御礼申し上げます。

２０２４年７月

林　菜央

（注）

＊1　条約の日本語訳は、文化庁のものを参照（https://www.mext.go.jp/unesco/009/003/013.pdf）

＊2　https://www.bunka.go.jp/seisaku/bunkazai/shokai/sekai_isan/pdf/93706201_01.pdf

＊3　https://www.bunka.go.jp/seisaku/bunkashingikai/bunkazai/sekaitokubetsu/01/sanko_2_3.html

＊4　https://whc.unesco.org/en/decisions/6578/

＊5　https://whc.unesco.org/en/decisions/6817/

＊6　http://www.unesco.org.uk/wp-content/uploads/2016/11/UNESCO-in-Scotland_Brochure_Low-Resolution-Version.pdf

＊7　According to the calculations we made in spring 2019 for the 206EX/25.V

＊8　World Heritage and Tourism in a Changing Climate (2016) https://whc.unesco.org/en/tourism-climate-change/

＊9　https://whc.unesco.org/en/tourism/

＊10　https://whc.unesco.org/en/tourism/

＊11　https://visitworldheritage.com/en/eu

＊12　https://unesdoc.unesco.org/ark:/48223/pf0000233686

＊13　'Predicting and Managing the effects of climate change on World Heritage', as well as a 'Strategy to Assist States Parties to the Convention to Implement Appropriate Management Responses'

＊14　The Benefits of Natural World Heritage

＊15　https://worldheritageoutlook.iucn.org/node/1242

＊16　炭素を蓄積する作用（炭素固定能）を持った海洋生態系

＊17　UNESCO Marine World Heritage – Custodians of the Globes Blue Carbon Assets

＊18　ユネスコのレポートがもうじき公開されます

＊19　Source: Xin Hua Net, 1 January 2020

＊20　http://www.unesco.org/new/en/culture/themes/museums/world-heritage-site-museums/

＊21　http://www.unesco.org/new/en/culture/themes/museums/virtual-museum-for-intercultural-dialogue/

＊22　https://gtwhi.com.my/

林　菜央 はやし・なお
日本人唯一のユネスコ世界遺産条約専門官。上智大学、東京大学大学院で古代地中海・ローマ史専攻。フランス政府給費留学生としてパリ高等師範学校客員研究員、パリ第四大学ソルボンヌ校で修士号取得、ロンドン大学で持続的開発も学ぶ。在フランス日本大使館の文化・プレス担当アタッシェを経て、2002年よりユネスコ勤務。ユネスコ・博物館プログラム主任などを経て現職。著作に『ユネスコと博物館』雄山閣(2019年)、『東南アジアの文化遺産とミュージアム』雄山閣(2023年)。

朝日新書
965
日本人《にほんじん》が知《し》らない世界遺産《せかいいさん》

2024年8月30日第1刷発行

著　者　林　菜央

発行者　宇都宮健太朗
カバーデザイン　アンスガー・フォルマー　田嶋佳子
印刷所　TOPPANクロレ株式会社
発行所　朝日新聞出版
〒104-8011　東京都中央区築地5-3-2
電話　03-5541-8832（編集）
　　　03-5540-7793（販売）

Published in Japan by Asahi Shimbun Publications Inc.
ISBN 978-4-02-295275-2
定価はカバーに表示してあります。
落丁・乱丁の場合は弊社業務部(電話03-5540-7800)へご連絡ください。
送料弊社負担にてお取り替えいたします。

朝日新書

子どもの隠れた力を引き出す
最高の受験戦略
中学受験から医学部まで突破した科学的な脳育法

成田奈緒子

現代は子どもにお金と時間をかけすぎです！　中学受験はラクに楽しく始めましょう。発達障害や引きこもりなどで筆者のもとに相談に来る子ども達の多くは、幼少期から習い事やハードな勉強をしていた。自分から「勉強したい」という気持ちが驚くほど高まる、脳を育てるシンプルな習慣。

日本人が知らない世界遺産

林　菜央

街並み、海岸、山岳鉄道……こんなものも世界遺産？／選ばれたために改築・改修ができなくなる／選挙事情に巻き込まれることも／ベトナムの洞窟で2日連続の野宿……世界遺産の奥深い世界と、日本人唯一の世界遺産条約専門官の波乱万丈な日々。遺産登録、本当にめでたい？

中高年リスキリング
これからも必要とされる働き方を手にいれる

後藤宗明

60歳以降も働き続けることが当たり前になる中、注目を集めるリスキリング。AIによる自動化、デジタル人材の不足、70歳までの継続雇用など、激変する労働市場にあって、長く働き続けるには何をどう変えていけばいいのか。実体験をふまえた対処法を解説する。